W9-CBW-402

El Renegado

JULIO CASTEDO

El Renegado

XXXVII PREMIO JAÉN DE NOVELA

ALMUZARA

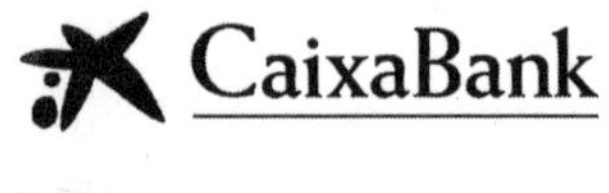

El Premio Jaén de Novela es convocado y patrocinado por CaixaBank y CajaGranada Fundación. En la presente edición el Jurado estuvo integrado por David Felipe Arranz (en calidad de presidente), Rosa Belmonte, Toni Montesinos y Javier Ortega.

Primera edición: noviembre de 2021

Editorial Almuzara • Colección Novela Histórica
Director editorial: Antonio Cuesta
Edición de Javier Ortega
Diseño y maquetación: Rebeca Rueda
www.editorialalmuzaracom
pedidos@almuzaralibros.com - info@almuzaralibros.com

Imprime: Romanyà Valls
ISBN: 978-84-18757-07-5
Depósito Legal: CO-974-2021
Hecho e impreso en España - *Made and printed in Spain*

Para Eva

Id pues, vagabundos sin tregua,
errad, funestos y malditos,
a lo largo de los abismos y de las playas
bajo el ojo cerrado de los paraísos.

PAUL VERLAINE

Índice

NUEVA ESPAÑA EN EL SIGLO XVI

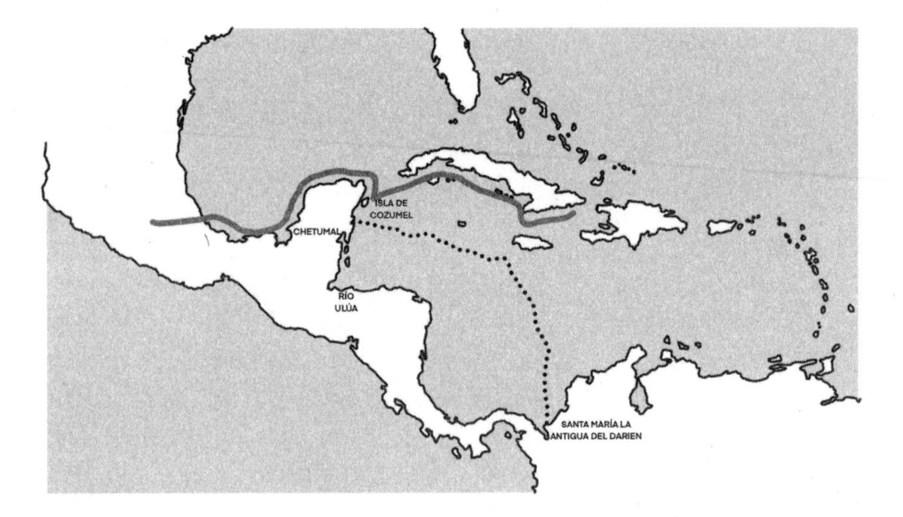

1. Santa María la Antigua del Darién
2. Cozumel
3. Chactemal (Chetumal)
4. Potonchán
5. Río Ulúa

Ruta del naufragio (1512)
Ruta de Hernán Cortés (1519)

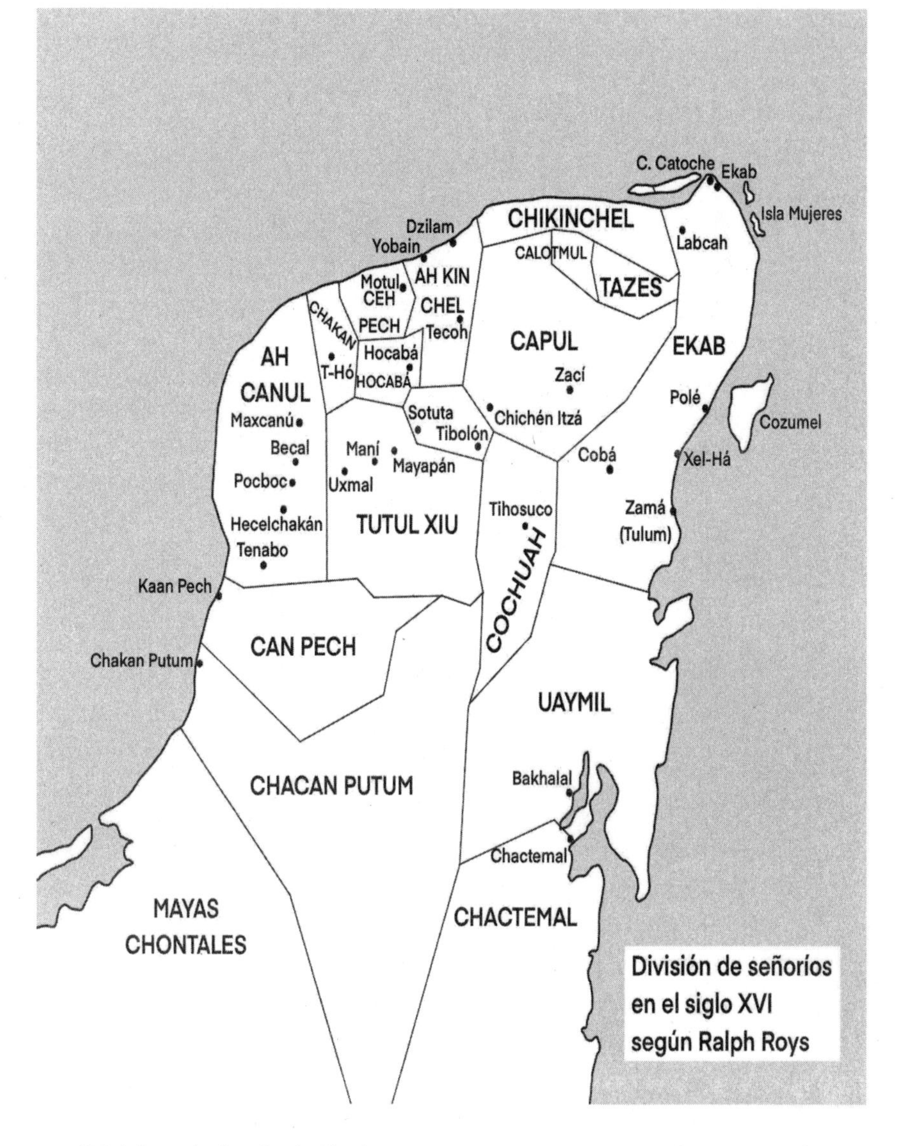

División de las jurisdicciones o señoríos mayas en la península de Yucatán en el siglo XVI según el historiador y antropólogo estadounidense Ralph L. Roys (1879-1965).

PRIMERA PARTE
1512

In Lak' ech. A Lak' en.
(«Yo soy otro tú. Tú eres otro yo»)

UNO

Mar Caribe, enero de 1512

Contempla la línea del horizonte y piensa en un cuchillo. En una hoja de luz que corta el mundo y lo divide en infinita agua y en infinito aire: una herida perfecta en la sensibilidad de un hombre como él, que ama la ciudad y recela de los excesos de la naturaleza.

Está apoyado en la baranda de la nao que bautizaron de Santa Lucía, con el cuerpo vencido hacia la derecha. Sostiene un trozo de carne seca en una mano y descansa en la otra su mentón. Es un hombre de interior, de Écija, y le aburre el monótono avance del barco sobre las olas. Se llama Jerónimo de Aguilar. Es huesudo, delgado, casi insuficiente; viste un blusón negro, estrecho y pegado al cuerpo, lleva un talabarte a la cintura y calza unas botas altas que brillan bajo el sol de enero como láminas de metal; tiene las cejas arqueadas, la barba irregular y la mirada limpia: un rostro de hidalgo en una estampa de elegante indolencia.

El día ha amanecido templado pero ventoso, con una masa ingente de aire de sotavento que hincha las velas de los tres palos, se mete en los ojos y en la boca y le seca la garganta. Ve acercarse unas nubes bajas a estribor, tan densas y oscuras que le parecen de plomo, y percibe que los hombres de mar hablan entre ellos y las miran con preocupación. No es marino de oficio, pero ha navegado lo suficiente para prever una tormenta.

En Castilla pensó en ser diácono porque tenía fe en Cristo y no pocas necesidades. Ingresó en el colegio sacerdotal de Sevilla e inició su formación, pero antes de sacramentarse con las órdenes menores comprendió que era demasiado joven para mendigar limosna, que prefería conocer el mundo y viajar por donde antes no lo hubiera hecho nadie, por eso se enroló como infante en los barcos de Vasco Núñez de Balboa. Sigue soltero, no como muchos de sus compañeros de viaje, que tienen esposa e hijos que los esperan y rezan por ellos; a él solo le queda Ascensión, su madre, una mujer a la que, como a tantas otras, no se le ofreció la oportunidad de aprender a leer porque en los libros se esconden los demonios, un alma sin culpas, enajenada por el dolor, sumida en los pesares del luto y encerrada por su propia voluntad en un convento desde el lejano día en el que una riña de taberna se llevó por delante a su marido; eso le permitió a Jerónimo actuar sin condicionamientos y no dar explicaciones cuando nadie en Écija entendió que alguien de su condición social abandonara una vocación religiosa, en apariencia tan firme, para embarcarse hacia las Indias Occidentales; Jerónimo actuó con un gesto de coraje carente de presunción, pero con la necesaria fortaleza de ánimo, porque pensaba que no debía dejar escapar esa oportunidad.

El silencio es el bastidor sobre el que se tejen las dudas y Jerónimo lleva mucho tiempo mirando la raya del agua, sin hablar con nadie, sumido en la atrición, y siente que esa cruel inmensidad azul amenaza con devorarlo. Hoy ha vuelto a pensar que tal vez no hizo lo correcto cuando dio la espalda a su vocación ni al permitir el ingreso de su madre en el convento, y le parece posible, si no purga esa falta con el ejercicio de la humildad, la pobreza y la renuncia, que le espere algún tipo de castigo en esta nueva tierra, donde habitan todas las tentaciones y el pecado es tan accesible. Durante su formación religiosa aprendió a distinguir entre las ilusiones espirituales y las profanas, entre el mundo intuido y el sensible; asumió que Dios es el fin al que tiende la vida del hombre y también la esencia de toda la Creación; luego arribó a una tierra salvaje, exuberante, caótica, dominada por las atroces leyes de la naturaleza, un páramo moral que ignora lo trascendente.

Al cruzar el Mar Océano conoció a Gonzalo Guerrero, un hombre curtido y vigoroso, muy distinto a él, alto de estatura, un poco cargado de espaldas, de brazos fuertes, muñecas anchas y ojos hundidos, natural de Palos de la Frontera; un soldado valiente, práctico, sereno de rostro, de trato amable y buen arcabucero, que había luchado con el capitán general Fernández de Córdoba en la toma de Granada y después en las guerras de Nápoles, donde aprendió con dolor y esfuerzo las artes de la milicia. En la larga espera de su primera travesía hacia las Indias Occidentales los dos soldados, novato uno y veterano el otro, entablaron esa forma de amistad que rebasa la camaradería y que sitúa a un hombre frente a los ojos de su compañero como si fuera su hermano; un hermano que no viene impuesto, sino elegido por la convicción. Ascendieron juntos al cargo de alférez y fueron encomendados al servicio del gobernador Diego de Nicuesa, en cuyos barcos llegaron al Darién y, tras su muerte, al del capitán Juan de Valdivia, un marino afanoso, pero de corta experiencia, cuyo mayor mérito consistía en haber sido vecino de calle y compañero de borracheras de Vasco Núñez de Balboa en la isla de La Española.

Gonzalo se acerca despacio al lado de su amigo, le acepta un trozo de carne seca y también mira con desconfianza las nubes.

—Tendremos una jornada difícil —dice Gonzalo.

Zarparon de Santa María la Antigua del Darién a la segunda vela de la noche y con la mar rizada, y ahora se adentran en unas aguas de mar gruesa frente a Jamaica que los marinos llaman los bajos de las Víboras, o de los Alacranes, por lo que tienen esos animales de dañinos, mientras crece el viento y el sol se asemeja a un disco pálido y fugaz que se desvanece tras las nubes. El aire, que un momento atrás era seco, se torna húmedo y empuja hacia ellos enjambres de pequeñas gotas de lluvia que les arañan el rostro y les empapan las cejas y las barbas.

Su destino es la isla de La Española. Llevan el barco lleno de oro y de buenas noticias para el virrey, Diego Colón: le anunciarán que el reciente gobernador del Darién, Vasco Núñez de Balboa, sabe ya de la existencia de otro inmenso mar, situado en el Occidente de esas nuevas tierras, a solo seis días de viaje a pie desde Santa María la Antigua, del que quiere tomar posesión en nombre del rey de Castilla y que ha llamado Mar del Sur. Le informaron de que su costa guarda una tierra rica en oro y en piedras preciosas, más aún si cabe que la costa Norte. Valdivia transporta como muestra el equivalente a 15.000 pesos de oro en concepto de quinto real y su misión es solicitar al virrey mil hombres y los abastecimientos necesarios para llevar con buen fin toda la expedición.

Las aguas se rizan todavía más, se hacen blancas y moradas y rompen entre ellas y contra el casco trazando remolinos y crecientes nubes de espuma que suben por el tajamar y barren el castillo de proa. A veces se forman corrientes que perfilan los arrecifes, y al descender las aguas muestran, solo por un momento, bancos de coral afilados como cuchillos que nadie antes había descrito en las cartas de navegación.

Valdivia ordena mantener el rumbo y el piloto le grita que la nao cabecea demasiado y que la prudencia aconseja virar en redondo para evitar las bajuras de la zona, pero el capitán, que ansía llegar cuanto antes a su destino para disfrutar por primera vez el sabor de la gloria y el reconocimiento de sus superiores, le mira a los ojos y le contesta con un gesto altivo y callado que a todos les parece un desprecio. Juan de Valdivia es un hombre huraño, de pocas palabras, amigo de sus silencios, más preocupado por amasar una fortuna que por convertirse en un buen marino. De joven su vida transcurrió sin sobresaltos, tuvo una educación esmerada y las necesidades cubiertas, luego las amistades de su padre le allanaron el camino a los puestos de responsabilidad, y antes de que encontrara el momento para agradecer cuanto la vida y los esfuerzos de otros le habían regalado, se encontró convertido en capitán de un barco que cruzaba el Mar de las Antillas lleno de oro y con la gran noticia de que al Sur existe otro Mar Océano que encumbraría su nombre por encima de los de sus antepasados. No, para Valdivia no tiene sentido virar ahora en redondo como solicita el piloto, porque ninguna tempestad lo detendrá ni retrasará la llegada de una fama que intuye inminente; su ambición y su medianía lo han llevado a pensar que la misma buena fortuna que le ha acompañado hasta ahora le ayudará a atravesar con éxito la tormenta.

Cientos de peces voladores salen del agua y pasan a los lados de Jerónimo y de Gonzalo y por encima de sus cabezas; cruzan el aire enloquecidos, fugaces, guiados por el miedo; se golpean con las velas y las arboladuras y caen a la cubierta batiendo las aletas pectorales y agitándose brillantes, como juguetes de plata. Algunos regresan al agua arrastrados por las olas y otros se quedan allí, con movimientos cada vez más espaciados, a la espera de la muerte junto a las mechas de los mástiles. Los marinos los miran asustados, porque saben que cuando esos frágiles exploradores salen del agua antes de una tormenta son heraldos de la desgracia.

Arrecia el aguacero y llueven goterones templados tan gruesos como perlas, que estallan al chocar con la cubierta y provocan un estruendo similar al ruido del granizo sobre un tejado. En un momento, las tablas del piso vibran y las salpicaduras palidecen el color de la madera bajo los destellos de los relámpagos, igual que si el agua hirviera.

Un golpe de aire azota la vela cebadera hasta arrancarla del gratil, atraviesa la cubierta tan deprisa como un demonio que se va al infierno y arrastra a un grumete que resbala y que se rompe la espalda contra el mástil mayor. Dos marinos se lanzan a ayudarlo y desatienden las cuerdas que tensaban; la vela del trinquete se raja por la mitad y el barco vira como traído por la mano de un gigante: se inclina cuarenta grados a babor y luego sin pausa otros tantos a estribor, golpea el casco contra las tajaderas de piedra de la gran masa de corales, hace a todos perder pie y arroja a muchos hombres al agua.

Valdivia comprende su burda equivocación y gesticula al piloto para que inicie la maniobra de viraje, mas el viejo marino no puede recobrar el gobierno de la nao, que en su deriva tiene parte del timón fuera del mar y se halla a merced de las olas, con franco peligro de irse a pique. Algunos rezan la Salve Regina agarrados a los obenques y otros maldicen su suerte mientras se tambalean y reniegan del capitán del barco, del almirante de Castilla y de la mala hora en la que salieron del puerto de Santa María la Antigua.

La lluvia es un castigo perpetuo y el barco se inclina tanto sobre su eje que imposibilita caminar sobre la cubierta; el palo de la vela mayor, ya vencido y casi horizontal, se parte de cuajo; la cesta del vigía y la vela de gavia caen al mar, la madera astillada que queda al aire golpea la batayola y al romperse aplasta a un joven soldado. Valdivia ve al muchacho junto a él, que se sostiene las tripas con las manos consciente de su final mientras le mira sin poder gritar, porque cada vez que lo intenta le salen por la boca turbios borbotones de sangre. El capitán alza los ojos, comprende que no hay fuerza humana que pueda evitar el naufragio y ordena a gritos que echen al agua el batel de salvamento y que se inicie el abandono de la nave.

Gonzalo Guerrero corta con su navaja dos de las amarras de la barcaza, que cuelga sin control, zarandeando sus diez varas de eslora por encima de sus cabezas con la amenaza de perderse, en un vaivén rítmico y siniestro que la lleva a las sombras una y otra vez y la devuelve con un lamento de cuerdas a punto de romperse y maderas retorcidas, hasta que liberan las poleas y la echan al mar, que muge como una recua de bueyes. Valdivia y Diego Pérez de Palma, el segundo del capitán, un hombre escueto y de decisiones prudentes, la mantienen asida con unos cabos para que no se pierda ni se caigan los remos mientras Jerónimo y los demás tienden una escala hasta ella y la cargan con una barrica de agua, otra de cecina de res, una cuerda y algunas espadas. No salvan nada más, pues el oscuro laberinto de las bodegas, donde guardan las vituallas y las bestias de carga, ya se ha inundado.

La escala se desprende y no hay más camino para alcanzar el batel que arrojarse al mar embravecido, a su negra amenaza; algunos desaparecen porque no saben nadar y ni siquiera salen a flote, unos cuantos se golpean contra el casco de la nao y por mucho que lo intentan no consiguen separarse de él; otros bracean, pero no vencen el ímpetu de las olas, que se elevan a su alrededor en un desorden de pánico.

Agotados por el esfuerzo, suben a la barcaza diecinueve hombres. Desde ella, en su impotencia, oyen un crujido de cuadernas rotas que les parece el grito de un espectro y contemplan el hundimiento del barco, que clava la proa ante ellos como si se bebiera el mar. Un momento después solo quedan por encima de la superficie el castillo de popa y la caña del timón, en una posición inverosímil que se eleva despacio hasta alcanzar la vertical y luego se hunde en un silencio fúnebre arrastrando tras de sí la arboladura, las jarcias y las velas, que forman inmensas bolsas de aire y de espuma bajo la lluvia incesante.

Seis marinos sacan los remos que se hallan a sus pies y tres a cada lado palean con tanta energía como desorden para alejarse de la corriente de succión que ha formado la nao, hasta que se distancian unas decenas de brazas, las suficientes para respirar hondo por un instante, mirarse los unos a los otros y asumir que el barco ya no está, que ha arrastrado al fondo a los pocos que flotaban a su lado y que ellos son los únicos supervivientes.

Son diecinueve hombres asustados que todavía reviven las imágenes del naufragio, que aún creen oír las llamadas de auxilio de sus compañeros, que no saben adónde mirar, pues a su alrededor solo hay un borroso telón de lluvia; tienen las manos entumecidas, los rostros transidos de angustia y las espaldas encorvadas por el cansancio.

Al cabo de una hora cesa la lluvia y las aguas se calman, cae una niebla espesa y no encuentran referencias en el cielo que les permitan fijar el rumbo. A su alrededor flotan trozos de las escalas, grandes cajas de madera que les parecen ataúdes, barriles sin nada de utilidad, fragmentos astillados de la arboladura, el peto de un infante, largos jirones de tela y cuerdas que se mueven entre las aguas como lombrices en el fango y, algo más allá, descubren el cuerpo de un ahogado. Echan un remo al agua y acercan el cadáver, le dan la vuelta para ver de quién se trata y reconocen a Julián de Castro, el piloto; algunos lanzan una mirada de reproche a Valdivia, que baja la cabeza sin decir una palabra.

Achican el agua que inunda el fondo de la barcaza con cazoletas de lona y la ven teñida de sangre, pues dos de los hombres que se han salvado están malheridos: Ángel de Santacruz en la cabeza, con una brecha por la que asoma la blancura del hueso; y el otro, de nombre Baltasar Díaz de la Roda, con un corte profundo en el pecho.

Jerónimo se conmueve con el sufrimiento de Baltasar y se acerca a él.

—Déjame ver la herida.

Baltasar mira a Jerónimo con agradecimiento, aunque sin esperanza. Levanta despacio la mano de la herida de la misma forma que un niño le revelaría a otro un secreto y le muestra un hueco entre dos costillas rotas por el que caben los dedos de una mano, una cavidad que rezuma sangre oscura y por la que sopla el aire con cada respiración y forma pequeñas burbujas rosadas en los márgenes.

—Voy a morir ¿verdad?

Jerónimo tiene la certeza de que es así, pero miente a su compañero:

—Hemos visto heridas más graves que esa, y todas acaban por sanar. Tápala y aprieta. Con fuerza.

—Solo me pesa que voy a defraudar a mi hijo.

—¿Por qué lo dices?

—Le prometí que regresaría de las Indias convertido en un hombre rico. Cargado de oro.

—Tu hijo aún no ha cumplido los seis años, el oro no le importa. Los niños son mejores que los hombres.

Baltasar asiente y sonríe.

—Quiere ser ballestero. Tres semanas antes de que zarpáramos vio tirar a Gonzalo en Cádiz, atinó en el centro de la diana a una distancia de veinte varas; desde entonces ya no hubo quien le sacara ese pensamiento de la mollera.

—Y si pone empeño será uno de los mejores. Le diremos a Gonzalo que le enseñe a tirar. Ahora no gastes tus fuerzas. Comprime la herida e intenta descansar.

La niebla es tan espesa que no son capaces de orientarse, parece una trama de telas de araña que pudiera hendirse a cuchillo. Juan de Quesada y Francisco de Arroyo achican el agua que las olas meten por la proa; Jerónimo y Gonzalo reparten el peso de los hombres y los enseres para estabilizar la barcaza y sitúan a los dos heridos en la popa. Juan de Valdivia calla su vergüenza y mantiene un gesto serio; sabe que todos esperan sus órdenes, que antes o después deberá marcar el rumbo hacia el Norte, pues allí encontrarán la costa de Jamaica, la tierra más cercana según el punto del naufragio, pero por más que escudriña el horizonte no divisa la posición del sol, ni quiere ponerse en evidencia preguntándoselo a su segundo delante de todos.

Después de un par de horas cesa el oleaje y los hombres sienten que la barca es arrastrada por una fuerte corriente contra la que no pueden bogar. Diego Pérez de Palma, que lleva toda su vida sobre la cubierta de los barcos de la armada de Castilla, escruta los desvaídos rastros de luz entre la niebla y la dirección del aire. Tras un instante de silencio mira a Valdivia y le dice:

—Vamos hacia poniente, capitán; mar adentro.

Nadie añade una palabra, ni siquiera Valdivia.

Los hombres se sientan en silencio a la espera de la noche, como si vivieran en el corazón de un sueño. Están cansados y con la ropa empapada, llevan los pies sumergidos en el agua del fondo de la barcaza y sienten el picor de la sal en todo el cuerpo. Hace un instante, han muerto ahogados catorce de los suyos. No hablan del oro, de los 15.000 pesos perdidos en el fondo de las aguas, ni del collar de plata con joyas engarzadas que le llevaban como presente a Doña María de Toledo, la poderosa mujer del virrey.

Por la noche, el marino Ángel de Santacruz empieza a delirar; balbucea una letanía incomprensible, como si rezara, luego abre mucho los ojos, levanta los brazos y nombra a los cuatro profetas mayores señalando hacia la nada: Daniel, Ezequiel, Isaías y Jeremías, igual que si los viera flotar en la negrura; afirma que se hallan ahí enfrente, muy cerca de ellos, radiantes, al lado de Jesucristo, de Moisés y de Elías, que es una nueva transfiguración, y se vuelve hacia sus compañeros con la mirada extraviada y les anuncia a todos la muerte:

—Estad prevenidos, pues vendrán por nuestras almas unos demonios con las piernas y los brazos desnudos que apestan a azufre y que nos sacarán las entrañas, lo celebrarán bailando en círculos alrededor del fuego y se lavarán la sangre en un río que avanza por el fondo de una gruta de mucha pendiente y muy escarpada, con árboles de raíces retorcidas y al aire. Son demonios de dedos largos, con las uñas muy negras y curvadas, trepan y se mueven por las ramas de los árboles deprisa y sin dejarse ver, porque están emparentados con los monos. No vendrán esta noche, ni mañana, están cerca, a la espera, permitirán primero que nos debilitemos, que nos enemistemos entre nosotros y que nos hieran el hambre y la sed. ¡Escuchad lo que os digo, bellacos! ¡Más os vale rezar! Os aseguro que ya se ha ejecutado la condena, no tengáis esperanza, porque somos reos de la ambición, la mentira y las fornicaciones. ¡Ninguno de nosotros regresará jamás a Castilla! ¡Ninguno! ¿Me oís? No encontraréis dicha ni reposo, no volveréis a ver a vuestros hijos ni a vuestros padres; el que tenga mujer que se despida para siempre de su olor y de su carne, pues no volveréis a tenerla cerca ni a pisar la tierra que os vio nacer. ¡Todos encontraréis aquí la mala muerte que aguarda a los pecadores!

Los hombres le miran y fingen no entenderlo; hay quien se tapa los oídos llevado por el miedo y otros se santiguan y aprietan los dientes porque sospechan que detrás de aquel delirio se esconde la verdad.

Al despuntar el día Ángel de Santacruz sufre temblores, mueve los brazos y las piernas sin control y echa espumarajos por la boca. Es un hombre famélico, con los ojos perdidos en el fondo del rostro, los labios agrietados y blanquecinos y un esqueleto anguloso que es un armazón excesivo para un cuerpo tan menudo. La piel lívida se le tensa entre las costillas y parece que se fuera a romper; tiene el vientre rígido, nudoso, como si hubiera perdido el gobierno de sus vísceras; no ha respirado con sosiego en toda la noche y siente que no estará bien hasta que le salga de las tripas toda el agua de mar que tragó el día anterior. Pide que lo acerquen a la borda para vomitar y Gonzalo, que está junto a él, lo toma del brazo, lo eleva sin esfuerzo y lo pone a popa con más de medio cuerpo sobre la borda. Santacruz se introduce los dedos temblorosos en la boca y le sobreviene una arcada con bilis, que se desliza lenta hasta el agua, como un hilo de seda.

En ese momento se dan cuenta de que la niebla empieza a disiparse y que hay un fragmento de cielo sobre sus cabezas. Los jóvenes lo celebran, se abrazan y se ponen en pie; la barcaza se zarandea deprisa, un par de veces, a uno y otro lado, y Ángel de Santacruz cae por la borda. Gonzalo le tiende la mano para que suba, pero Ángel está muy débil y, aunque se encuentra a unas pocas brazadas, no le resulta fácil acercarse.

—¡No puedo, Gonzalo, noto algo en los pies, me han trabado los demonios, lánzame un cabo o me iré al fondo!

Gonzalo se agacha y busca el cabo, pero antes de que lo lance, dos tiburones que merodeaban la barcaza desde el naufragio asoman el espinazo muy cerca de lo que para ellos no es más una presa que agita el agua, sacan sus cabezas luciferinas a la superficie a cada lado de su víctima, lo descosen a dentelladas y lo hunden sin dejar tras de sí más que una macabra espiral de sangre oscura que se poco a poco se diluye y se borra.

La presencia de los tiburones los ha dejado sin habla. Ninguno los había visto de ese tamaño, ni a tan poca distancia; han mirado a sus diminutos ojos abisales, negros y redondos como cabezas de alfiler, han contado sus tres hileras de dientes y han visto moluscos pegados a su cuerpo como pequeños trozos de roca. Los han olido y han escuchado el chasquido de sus mandíbulas al cerrarse; creen que si el mal absoluto abandonara el espíritu del ángel caído y se encarnara en un animal lo haría en una bestia como esa. Ahora saben que están ahí, que los acompañan desde el principio con sus enormes bocas capaces de arrancarle la cabeza a un hombre, se mueven en amplios círculos a su alrededor, sin prisa, casi dormidos, sacando al aire la aleta dorsal de vez en cuando para hundirla despacio después, a la espera que alguno de ellos caiga al agua.

Cuando se levanta por completo la niebla, el capitán Valdivia, que sigue ofuscado con la idea absurda de dar término cuanto antes a su misión, aunque sea de una forma tan precaria, reúne las fuerzas que hasta ese momento le faltaban y ordena remar en grupos de seis con rumbo Norte, hacia donde supone que se encuentra la costa de Jamaica. Organiza los turnos y solo dispensa de esa tarea a Baltasar Díaz de la Roda, que está malherido.

Baltasar lleva unas horas tumbado en la popa, sin apenas moverse, respira con ritmo irregular y sangra por el costado. Se emboza la herida con una mano envuelta en jirones de tela, pero la sangre le resbala entre los dedos y gotea sin cesar, le vacía de sus escasas fuerzas y se acumula a su alrededor en el fondo de la barcaza. No disimula el sufrimiento. Todos intuyen que va a morir, él más que nadie. Ninguno de sus compañeros se atreve a mirarle, ni hablan con él, no les apetece confirmarle su condena.

Gonzalo y Jerónimo están sentados juntos, lejos de Valdivia, descansan de su turno a los remos; Gonzalo ocupa los largos tiempos muertos con la talla de una pequeña figura de madera a punta de navaja, mientras Jerónimo le observa con curiosidad. Ve cómo excava un pequeño surco horizontal que se transforma en la boca, cómo contornea el mentón y debajo le perfila el cuello, dejando una mínima protuberancia para la nuez.

—Echo de menos al Gran Capitán —murmura Gonzalo.

—¿A Fernández de Córdoba? ¿Por qué lo dices?

—Vi mucho a su lado en las guerras de Nápoles, en los años de plenitud del rey Fernando. Y por difícil que fuera el envite, por firme que se plantara el enemigo, siempre sabía tomar la decisión más adecuada.

—Cuéntame alguna de esas historias, ya sabes cuánto me gusta oírlas.

Gonzalo mira a su amigo y ve en él a una persona digna de afecto, alguien que no tiene que fingir para ganarse el cariño de los demás.

—¿Sabes dónde está Ceriñola?

—No tengo ni idea.

—En la Apulia de los romanos, al sureste de la península itálica, detrás de una sucesión de valles y colinas. Allí libramos la más grande de las batallas que yo pueda recordar aunque, poco antes de que empezara, tuvimos la mala fortuna de que explotara por accidente la pólvora de nuestros artilleros; todos nos quedamos espantados, sin saber cómo podríamos plantar cara a los franceses sin los cañones, pero el Gran Capitán nos dijo que no nos alteráramos por lo que habíamos visto, que esas luces que estallaban y se elevaban ante nuestros ojos eran las luminarias y los mensajeros de nuestra victoria, que en un campo bien fortificado no hacen falta los cañones. Dispuso en alto a los arcabuceros y a los ballesteros y mandó plantar cientos de estacas y construir fosos y empalizadas. La caballería francesa no pudo avanzar entre aquel laberinto de trampas y se convirtieron en un blanco fácil. Éramos unos nueve mil hombres por bando. Al final del día, cuando presentaron su rendición, habían muerto cuatro mil franceses y solo cien de los nuestros. He pensado muchas veces que otro capitán al mando, un hombre normal que no tuviera su coraje, habría dado la orden de retirada al explotar la pólvora y dado por perdida la batalla.

Jerónimo mira a Valdivia y después también lo hace Gonzalo: el capitán es un hombre derrotado, sin iniciativa; alguien vencido por las circunstancias y cuya mirada perdida en el vacío transmite una vidriosa sensación de inseguridad. Nunca lo habían visto así en el pasado, y mucho menos cuando llegó al Darién con Vasco Núñez de Balboa, altivo y lleno de ambición, siempre junto a su protector, sirviéndole de ariete en cualquier disputa con un talante jactancioso, tal vez porque hasta ese momento la vida no lo había puesto a prueba.

—Siempre me ha llamado la atención que puedas sacar esas figuras de un trozo de madera —dice Jerónimo.

—Mi padre era un buen ebanista y me enseñó el oficio. Es un soldado español. Le espera una misión importante.

Gonzalo le muestra la figura sin terminar a Jerónimo. Es una talla delicada, un soldado de infantería en posición de firmes con una belleza sencilla; la obra de alguien con talento.

—Es una talla admirable. Y un hermoso oficio.

—Que volveré a ejercer algún día.

Por la tarde sopla un viento racheado de levante y vuelven a llover goterones, pronto se dan cuenta de que el agua que les golpea en la cara y les entra en la boca está salada, que no viene de las nubes, sino que el viento es tan fuerte que la levanta de la superficie del mar y se la arroja al rostro.

Reman para mantener el rumbo, aunque tienen la impresión de que el batel está a merced de las corrientes. Los hombres se agarran como pueden a la borda y a las traveseras del fondo para evitar que las arremetidas del aire los tiren al agua. Valdivia vocifera y mueve el brazo izquierdo haciendo el ademán de dar alguna orden desquiciada. Nadie lo escucha.

El mar se encrespa y surgen olas tan altas como montañas; cuando la barcaza las enfila, la proa se pone casi vertical y creen que van a volcar y, al bajarlas, con la respiración contenida, les parece que atravesarán la superficie del agua y que se hundirán con ella. Es un proceso que se repite una y otra vez, sin descanso, que les muestra el engañoso sentido de sobrevivir a un naufragio para sucumbir en otro, que los lleva a conocer los límites del valor y la resistencia. En cada vertiginoso descenso los hombres gritan y rezan, o solo cierran los ojos en medio de una humillante fragilidad.

Media hora después el mar se calma de repente, igual que si obedeciera a un sortilegio; los hombres se recuperan y achican el agua, que les cubre dos palmos por encima de los tobillos y está a punto de alcanzar la línea de flotación. Jerónimo recuerda al compañero herido, vuelve la vista hacia la popa y no ve a Baltasar Díaz de la Roda. Da la voz de alerta y lo buscan a su alrededor. Nadie lo divisa sobre el agua.

Durante la segunda noche no pueden evitar las corrientes, que les arrastran en la misma dirección del día anterior, con la terca insistencia de la fatalidad, como si el mar se empeñara en deshacer por la noche el poco trecho que habían avanzado durante la jornada diurna. Están agotados y apenas quedan vituallas que echarse a la boca. Racionan los escasos trozos de cecina que les quedan, pero son porciones tan pequeñas que ni siquiera les sirven para engañar al estómago.

Dejan los remos en el fondo del batel y deciden descansar. Solo hace guardia Diego Pérez de Palma, que maneja el timón según su criterio, sin preguntar al capitán, permitiendo que la proa avance a favor de la corriente. Diego escruta la noche; el cielo se mantiene despejado sobre sus cabezas, pero el horizonte está borroso y de él proviene un rumor lejano de aire y de lluvia que no termina de disiparse. De vez en cuando, las tinieblas se iluminan con la luz súbita de un relámpago que rasga el horizonte y alcanza la superficie del mar, en ese momento los hombres se ven fugazmente las caras e intuyen las siluetas resignadas de los cuerpos y unas sombras largas, como de penitentes, que se proyectan sobre el agua. Algunos duermen, otros intentan conciliar el sueño y uno de ellos, de nombre Juan Sánchez de Albornoz, tiembla y siente calenturas, pero no dice nada, porque ha instalado su pensamiento en los distantes rostros de sus dos hijos, Fermín y Juanillo, en sus miradas limpias y profundas el lejano día que fueron a despedirle al muelle. Los dejó al cuidado de su hermana, pues él era viudo, y para tranquilizarlos les prometió que a su vuelta nunca se separarían. Le parece que ahora se encuentran los dos allí, frente a él, el pequeño agarrado al blusón de su hermano, renovando en silencio la contenida tristeza por ver marchar a su padre.

—Llévanos contigo —le había dicho Fermín.

Juan, conmovido, se agachó hasta la altura de los grandes ojos del niño y le tomó por las manos.

—No, hijo, no puedo llevaros. Es un viaje muy peligroso.

—Y si de verdad es tan peligroso ¿por qué has de ir tú?

Al despuntar el tercer día las corrientes han cesado y la barcaza apenas se mueve, como si una soga invisible la mantuviera atada al fondo del mar.

—¡Primer turno de remeros! —dice Valdivia desde el timón.

Seis hombres cogen los remos y bogan otra vez hacia el Norte con desgana y disciplina a partes iguales, sin divisar ningún punto de referencia en el horizonte.

Diego Pérez de Palma despierta a dos marinos que se han

quedado dormidos para que preparen el relevo y, cuando toca a Juan Sánchez de Albornoz, que está acurrucado como un niño, con el pecho contra las rodillas, lo nota rígido, húmedo, con el tacto frío y marmóreo de las estatuas. Le pone la mano cerca de la boca y se percata de que no respira.

—Este hombre lleva varias horas muerto.

—Dios tenga piedad de su alma —dice Valdivia—. Rodrigo, José, echadlo al agua. Jerónimo, dale un rezo y encomiéndalo a Dios.

Y Rodrigo de Bustamante y José Álvarez de Amezcua, que están a su lado, lo cogen uno por las corvas y el otro por las muñecas, lo balancean un par de veces y lo arrojan al mar mientras Jerónimo reza en voz alta un padrenuestro. El cuerpo de Sánchez de Albornoz flota solo un instante, agarrotado, doblado sobre sí mismo, en la misma posición en la que su madre lo llevó en el vientre, y luego, al tiempo que Jerónimo termina la oración, se sumerge en el abismo oscuro de las aguas.

—Quedamos dieciséis —dice Rodrigo de Bustamante—. Ya son más los muertos que los vivos.

En el quinto día, ya sin alimentos que llevarse a la boca, ninguno tiene fuerzas para remar. La barcaza, bajo un cielo despejado, va a la deriva llevada por una corriente suave y constante que se dirige al Noroeste. Han terminado las reservas de agua dulce y casi toda la cecina. Solo han apartado unas pequeñas virutas de grasa podrida que usan como cebo para pescar y han puesto las cazoletas de lona en la popa, a modo de embudo, para que condensen algo de humedad y recojan el agua que caiga del cielo.

Francisco de Arroyo, que fue pescador en su juventud en el Puerto de Santa María, ha ingeniado un anzuelo doblando y afilando una hebilla y lo ha prendido a un cordel que ha fijado a una vara y que lanza una y otra vez al agua hasta que pica algún pargo que luego destripan y se comen crudo;

al principio con asco, después con indiferencia. Pasan horas sin que pique ningún pez, o lo hace alguno que no le parece comestible, entonces Francisco lo iza, lo libera de la trampa y lo devuelve al mar, otras veces quiencs llegan primero son los tiburones; en ese caso retira el anzuelo y espera a que se cansen y se alejen, porque no quiere arriesgarse a que una de esas bestias se cuele en la barcaza, o que le den un tirón tan fuerte al aparejo que se lo lleven al mar.

—¿Por qué sabes que unos peces pueden comerse y otros no? —le pregunta Gonzalo.

—Por *la color*. Los peces que tienen el lomo grisáceo y el vientre blanco suelen ser de provecho. Los de colores fuertes, si no los conoces, es mejor dejarlos. Algunos peces de aquí se parecen a los de la costa de Canarias. ¿No te has dado cuenta?

—Soy un soldado, Paco, no sé nada de peces.

—Pero sabes comerlos.

—Eso sí. Aunque los prefiero puestos al fuego.

—Crudos quitan mejor la sed. ¿Has comido tortuga?

—¿Tortuga? ¿Se comen las tortugas?

—Ojalá pescáramos una bien grande. Saben parecido a las gallinas, algo más recias, pero cuando entran en la boca tienen partes melosas; al tragarlas hacen el mismo efecto que comer y beber a la vez.

Los hombres solicitan un descanso al capitán y el batel se queda quieto, meciéndose entre las olas. El sol les calienta la piel, aunque sea invierno, y se tapan como pueden para evitar las quemaduras. Después se tumban para dejar transcurrir la tarde los unos junto a los otros, igual que si fueran una temerosa camada de perros que intuye un castigo. En esos momentos de calma solo escuchan el chapoteo del agua que bate contra la madera del casco y ven algún pez saltar a la superficie y volver a hundirse; los marinos más veteranos levantan de vez en cuando los ojos hacia el cielo en busca de un pájaro que les haga concebir la esperanza de una tierra cercana, pero el cielo está desnudo y el tiempo pasa sin sobresaltos, tedioso, con una lentitud monótona que se cuelga de sus párpados y de sus hombros. Esos días, cuando el sol se encuentra en lo alto y sienten sobre la piel la mirada de su pupila incandescente, le rezan un rosario a la Virgen María y le piden clemencia y protección. Jerónimo dirige la plegaria y los hombres contestan; los más lo hacen con fervor y unos pocos apenas con un susurro: ninguno desprecia una posibilidad de auxilio, por remota que parezca.

—Jerónimo, ¿puedes darme confesión? —pregunta Rodrigo de Bustamante cuando termina el rezo.

—No tengo licencia para ello, Rodrigo.

—¿No eras diácono en Sevilla?

—No. Pensé en ordenarme, me preparé y estuve a punto de tomar los votos, pero preferí embarcar.

Rodrigo gira la cabeza a uno y otro lado y dibuja una sonrisa.

—En el fondo me alegra que no seas uno de esos zánganos agarradores de haciendas. Me gustan muy poco las sotanas y los sermones. Yo no he querido nunca más oficio que el de marino; no señor, no lo he querido, porque me gusta navegar. Me gusta la forma en la que el barco embiste las olas, cómo el casco las rompe y abre entre ellas una senda que hasta ese momento no existía; y me gusta sentir el viento húmedo en la cara y ver el mar nocturno, bajo las estrellas, a la luz de la luna, con su oscura y serena grandeza. El mar hace insignificantes a los hombres. Y los hace iguales.

—¿Es la primera vez que naufragas?

—No, valga el diablo, he salido con vida de tres naufragios; uno en la costa de Cádiz, después de una refriega con unos contrabandistas africanos; otro cerca de Portugal y otro al norte de la Isla Fernandina, esos dos fueron por tormentas. Pero en esas ocasiones sabíamos dónde estaba la costa y que no quedaba demasiado lejos. No como ahora… ¿Notas ese hedor dulzón?

—Sí, sí lo noto.

—Somos nosotros. Es el olor del miedo. Una mezcla de mierda y sudor que se pega a la piel como el aceite. Cuando lo hueles una vez ya no lo olvidas. Nadie quiere decirlo, pero todos piensan que van a morir. Creen que tienen un número escrito en la frente que marca el orden en el que caeremos.

—Yo no. Confío en Dios. Él nos salvará.

—Ya hemos perdido a muchos hombres. A ellos no los salvó. ¿Por qué ibas a ser tú distinto?

—Creo que Dios ha diseñado un plan para mí; me quiere en estas nuevas tierras.

—¿Y cómo sabes lo que quiere Dios?

—No lo sé. No lo sabe nadie. Solo es una sospecha. Lo sientes aquí, en el corazón.

—Es lo que te decía. Hablas como un hombre de fe.

—Porque la tengo, pero eso no me convierte en diácono.

—Dame confesión de todas formas.

Un día después la barcaza sigue inmóvil, en un lento balanceo bajo un cielo sin nubes. No ven más que las dos grandes extensiones azules que forman una línea recta en la lejanía y el resplandor hiriente del sol que avanza sin prisa por la bóveda celeste. De vez en cuando se levanta una brisa suave que les acaricia el rostro y creen que la quietud terminará, pero el viento cesa de nuevo y no llegan las corrientes. En esas condiciones las horas adquieren una lasitud extraña y la misteriosa calma se hace tan abrumadora que les convence de que se quedarán allí para siempre, en ese mar oscuro, denso y tranquilo.

Al atardecer, en medio del aire estancado, el cielo se inflama cuando el sol se esconde en el horizonte y se irradian hacia ellos inmensos abanicos naranjas y escarlatas. Poco después caen las luces y surgen las estrellas sobre sus cabezas, como si fueran las luminarias de su presidio. Los dieciséis hombres, más que una tripulación, parecen la reunión de sus fantasmas.

Juan de Valdivia mira a su segundo, que le devuelve un gesto de contenida impotencia.

—Mañana volveremos a remar, Diego. Aunque los hombres estén cansados. No podemos darnos por vencidos.

—Como digáis.

—Cualquier cosa antes que pudrirnos al sol.

—Mañana volveremos a intentarlo.

—Hacia el Norte.

—¿Hacia el Norte, capitán?

—Sí. Hacia Jamaica.

—Es muy posible que las corrientes nos hayan alejado de Jamaica. Esa isla ya quedará muy al Noreste.

—¿Al Noreste? Eso sería bogar en contra de las corrientes que nos han traído hasta aquí.

—Así es.

—¿Qué quieres decir?

—Que remando no llegaremos a Jamaica.

—¿Qué propones, Diego? ¡Habla claro, maldita sea, y no me hagas arrancarte las palabras una a una!

—Que boguemos hacia poniente.

La serena e inesperada respuesta del segundo irrita a Valdivia.

—¡Voto a Dios y a Cristo! ¡No hay ninguna tierra conocida hacia poniente!

—No hay tierra conocida por nosotros, capitán.

—¿Y qué es lo que quieres? ¿Explorar el mundo en una barcaza? ¿Adentrarte en la nada por si el Altísimo hubiera puesto tierra firme en esa dirección?

—Tal vez la haya.

—Sabes más de estos mares que yo, por lo que parece.

—Nunca he navegado por aquí, ninguno lo hemos hecho, pero sé de unos portugueses que avistaron una columna de humo en el horizonte, como un gran incendio, a tres días de derrota occidental desde la bahía de Corrientes, en Cuba.

Al escuchar esas palabras, el resto de la tripulación levanta la cabeza y presta atención a lo que solo era una disputa más entre sus mandos.

—Mala landre me mate. ¿Estuvieron allí? —pregunta Valdivia.

—Ellos no se acercaron, su ruta era otra, pero me juraron por Dios que tendría que haber tierra.

—Pudo ser un barco en llamas.

—Eso mismo les dije yo, pero insistieron en que venía de tierra, que ni cuatro o cinco barcos ardiendo juntos habrían producido tal incendio.

—Tal vez se lo inventaron. ¿Habíais bebido?

—Por supuesto que habíamos bebido, y no poco, estábamos en una taberna, pero eran buenos hombres de mar. Creí en su palabra.

—Así que nuestra única esperanza se funda en las bravuconadas de unos portugueses que cuando hablaron contigo estaban borrachos.

—Eso parece, capitán.

—Sí, eso parece... vaya suerte la nuestra. Por todos los demonios. Jerónimo —dice Valdivia inquiriéndolo—, ¿qué opinas de lo que propone el segundo?

—No soy marino, capitán, me temo que mi opinión no os será de utilidad.

—No te pregunto por ser marino, sino porque eres Alférez del rey, porque escuchas cuando te hablan y porque tienes algo de sesera en la cabeza. ¿Tú confiarías en la palabra de esos portugueses?

—Ni más ni menos que si fueran de otro sitio. Hay mentirosos y amigos de darse importancia por todas partes. Pero sí confío en Diego Pérez de Palma; si él dice que aquellos hombres eran de fiar, a nosotros debería bastarnos.

El capitán Valdivia recorre con la mirada a Jerónimo, a Diego y a Gonzalo. Todos parecen estar de acuerdo, a pesar de su silencio. Navegar hacia poniente se le antoja el primer paso al suicidio, aunque es cierto que no tienen fuerzas para remar contra las corrientes, y si obliga a semejante esfuerzo a los hombres, tarde o temprano habrá de enfrentarse a un motín. Ninguna de las opciones le parece acertada, de forma que debe elegir el menor de los males para mantener el grupo unido.

—A los remos. Rumbo a poniente.

Al amanecer del séptimo día, empujados por esa débil esperanza, bogan hacia poniente. Los remeros, con un impulso instintivo, mueven las palas a buen ritmo y el batel avanza hacia algún lugar, aunque desconozcan adónde.

Los hombres se encuentran con las fuerzas muy mermadas. Dos de ellos, José García Ruiz y Nuño de Alameda sienten repugnancia por el pescado crudo y apenas han comido los últimos días, solo el cuero de los correajes. Los dos están acurrucados en el fondo de la barcaza, sin poder levantarse. José tiene la boca llagada y le sangran las encías. A Nuño le tiemblan las manos, suda mucho y se le nubla la vista.

Todos miran el horizonte, pero no distinguen tierra, ni pájaros, ni los rastros de humo de incendios lejanos que darían certidumbre a las palabras de Diego Pérez de Palma. Sin embargo, no se escucha una sola palabra que invite a la duda, nadie quiere ser el primero en robar la esperanza a los demás.

Por la tarde, Nuño de Alameda empieza a delirar.

—Ya estoy en casa —dice con la voz rota, como si hablara desde fuera de sí mismo—, ya estoy en casa. Dile a mi madre que me abra la puerta...

El muchacho sonríe, los ojos se le llenan de luz y habla con alguien que solo él es capaz de ver.

—Madre, mira, te he traído un collar de cuentas de cristal... las he pintado yo, una por una, con los colores del arco iris... madre, es para ti... ¿te gusta?

Los hombres lo miran con lástima y Valdivia le pide a Jerónimo que le dé la extremaunción.

—Ya sabéis que no puedo impartir sacramentos, capitán. Ni tampoco tenemos los óleos.

—No seas melindroso. Reconforta su alma como mejor sepas. Dios lo entenderá.

Jerónimo, movido por la piedad, abraza al joven, se sienta junto a él, moja sus dedos en agua de mar y le toca con ellos los ojos, la nariz y la boca, todavía sonriente, y luego las manos y los pies.

—*Per istam sanctam Unctionem et suam piissimam miresicordiam adiuvet te Dominus gratia Spiritus Sancti. Amen.*

—Las he pintado yo, madre… una por una… con los colores del arco iris…

—*Ut a peccatis liberatum te salvet atque propitius allevet… Amen.*

Nuño muere esa tarde sin moverse ni hacer ruido, en paz, casi sonriendo, como si se hubiera dormido. Por la noche rezan una plegaria por su alma, le quitan el cinturón y las botas para aprovechar el cuero y lo arrojan al mar.

Al ver desvanecerse a su compañero en la negrura, Juan de Quesada pierde los nervios.

—¡Vamos a morir todos! —grita—. ¡Todos! ¡Como ese pobre desgraciado! ¿No lo veis? ¿Y qué hacemos? ¡Remar a ningún sitio! ¿Por qué hay que ir a poniente? ¿Porque lo dijeron unos portugueses? ¡Ir hacia Jamaica era nuestra única oportunidad! ¡Le quitasteis la razón al capitán y ahora nos estamos suicidando! ¡Os maldigo y reniego de Dios y de todos los santos! ¿Me habéis oído bien? ¡Reniego de Dios!

Gonzalo le coge por los hombros e intenta calmarlo.

—Deja de blasfemar, Juan, por el bien de todos. Piensa en los jóvenes y en la salvación de tu alma. No desesperemos ahora, ya no podemos cambiar de opinión. Hay que mantener la cabeza fría.

—¡Suéltame y anda tú también con el diablo! ¡Me va una higa la salvación de mi alma! ¡Lo que quiero es salvar mi carne! Qué penoso infortunio estar rodeado de imbéciles. Miraos, dais lástima, sois un puñado de bellacos hambrientos a la deriva; sí, todos vosotros, ya lo decía Santacruz, unos borregos que esperan la muerte.

—¡Es suficiente! —grita Valdivia para evitar un motín—. ¡Hemos tomado una decisión y la afrontaremos sin divisiones! ¡Ya es tarde para ir hacia Jamaica!

—Pero vamos hacia la muerte, capitán…

—¡Ni una protesta más, Quesada! ¡Te lo digo a ti y os lo digo a todos! ¡Comportaos con honra o seréis castigados!

El resto del día transcurre en silencio, con el agua calmada y los hombres que aún tienen fuerzas bogando despacio a favor de la débil corriente, que ha perdido el ímpetu de los primeros días. Solo son quince los vivos, aunque uno de ellos, José García Ruiz, apenas se mueve, y otros dos están muy débiles, uno al que llaman Lope Gil, nacido en Valencia, tiene la piel seca y sufre diarreas, y un gallego, Antonio de Castrillón, el más joven a bordo del batel, de solo catorce años, desprende tanto calor como un horno.

Ha empezado el atardecer cuando ven una luz extraña en el mar, frente a ellos, y todos la miran sin saber qué es lo que produce esos intensos reflejos violáceos; sospechan que sea un arrecife de coral, o un banco de peces que nada aflorando en la superficie. Al acercarse comprueban que no es así, que la proa de la barcaza se abre camino sin dificultad entre un sinfín de medusas con el vientre transparente y largos filamentos morados. Son millares y cubren toda la superficie del agua, nunca habían visto un banco semejante; algunas elevan unas crestas gelatinosas para calentarse con el sol y dejarse llevar por el viento, otras se sacuden estremecidas por su presencia y avanzan a empujones entre sus hermanas igual que si fueran serpientes.

—No se os ocurra tocarlas —les dice Francisco de Arroyo—. Son aguamalas, muy venenosas.

Los hombres levantan los remos para que no se les enreden en ellos y las ven pasar con su curso lento y solemne igual que pasan las ofrendas de flores en un entierro, o como se mira a un leproso que vaga por los caminos y hace sonar de vez en cuando su pequeña campana. Aguardan a que se marchen en el mismo silencio de muerte con que llegaron.

Por la tarde, Francisco de Arroyo echa su último aparejo de pesca al mar. Ya no tiene cebo y arranca con los dientes un jirón de cuero del cinturón de Nuño para anudarlo en el extremo del anzuelo. Reina una calma absoluta en el mar. El cordel sube y baja con suavidad a través de la superficie del agua sin que suceda nada.

—¿Hoy no se acercan? —le pregunta Gonzalo.

—Tal vez no se dejen engañar con un trozo de cuero viejo. Los peces se guardan bien del peligro, son más espabilados de lo que parecen.

Gonzalo observa que Pablo Torralba, uno de los más jóvenes del grupo, tiembla. Él y los otros marinos de menor edad están juntos y tienen miedo. Se levanta y se sienta a su lado.

—¿Sabéis? —les dice—, no somos los primeros que sufren los peligros de estas aguas. Otros antes cruzaron el Mar Océano sin saber qué les esperaba. El almirante Cristóbal Colón y los hermanos Martín, Francisco y Vicente Pinzón. Navegaron dos meses con la derrota de poniente desde las Islas Canarias sin saber cuándo encontrarían tierra firme; se les agotaron las fuerzas y estuvieron a punto de volverse locos, pero se mantuvieron unidos. Dicen que a bordo de la Santa María la poca comida que quedaba en la bodega se había podrido, y que olía tan mal que los hombres dormían a la intemperie.

Los jóvenes le miran atentos.

—Un día Cristóbal Colón levantó los ojos al cielo y vio sobre su cabeza una bandada de pelícanos. ¿No os habéis dado cuenta de que nosotros también miramos al cielo? Buscamos pájaros que no se alejan demasiado de la costa. Al verlos, pusieron rumbo hacia aquellas aves y dos días después Rodrigo de Triana divisó tierra firme. No os preocupéis, sobreviviremos, igual que lo hicieron Colón y sus hombres. Ellos también pasaron hambre y miedo, pero se agarraron a la vida con las uñas del alma. No es deshonroso el miedo; yo lo tengo, y también el capitán y el segundo, todos lo tenemos. Aquellos hombres lo tuvieron, pero fueron capaces de salir adelante, y cuando volvieron a Castilla, lo hicieron convertidos en héroes.

—Alférez —dice Pablo casi sin atreverse a mirarle a los ojos—, ¿vos creéis de verdad que hay tierra firme al oeste de Cuba?

—Estoy convencido —contesta Gonzalo mientras busca algo entre sus ropas—. Y como prueba... os voy a prestar mi amuleto.

Y le da a Pablo la talla en madera del soldado español.

—Pero tendréis que devolvérmelo cuando lleguemos a casa.

Pablo coge el soldado y se tranquiliza. Le parece una talla preciosa. Es un infante en posición de firmes; los hombros rectos, la barbilla elevada, el pecho lleno de aire. Sonríe y se la muestra a sus compañeros.

—Prometido —dice Pablo—. Cuando volvamos a casa.

Transcurren dos horas en las que Francisco de Arroyo solo nota el calor del sol en la nuca e incipientes gotas de sudor que descienden por el cuello. Imagina que todos los peces de la zona han comprendido el engaño y disfrutan riéndose de él, que se acercan para merodear la trampa sin rozarla. Y así es durante esas dos horas interminables, hasta que de repente, algo interrumpe el monótono latir del tiempo y tira del cordel. El marino lo deja resbalar por la palma de su mano, que se desplaza con suavidad, sin demasiada tensión. Después siente un tirón algo mayor, una sacudida, y luego nada.

—No te sueltes —susurra Francisco.

Y el cordel vuelve a moverse, muy despacio.

—No te sueltes...

Francisco espera con el cordel entre los dedos, atento, con los músculos en tensión, dispuesto a tirar con firmeza en cuanto la presa demuestre que está bien prendida.

—Aquí estás otra vez, y ahora parece que tiras más fuerte; muchacho, ayúdame, vamos a sacarlo.

Y uno de los jóvenes, un marino de Alicante al que conocen por el nombre de Luciano, se pone a su lado para ayudarle.

—Tira, Luciano, hoy sí nos llevaremos algo al gaznate.

El marino tira también del cordel, pero entre los dos no pueden con la captura.

—Se resiste —dice Luciano mientras siente cómo la fricción le quema la palma de las manos—. Debe de ser muy grande.

—A lo mejor es demasiado grande para nosotros dos —contesta Francisco—. Y nada muy profundo. Tal vez deberíamos…

Y sin dejarle terminar de hablar, igual que si surgiera de una pesadilla, sale a flote con el cordel enredado entre los dientes un tiburón blanco como ni los más veteranos habían visto en sus muchos años de travesías, un monstruo de las profundidades del mar tan grande como la barcaza, que sacude su cuerpo queriendo salir del agua y de un salto deja la cabeza sobre la cubierta e inclina hacia su boca el batel, de forma que muchos pierden pie y Luciano está apunto de caer al mar, incluso roza con el hombro la superficie del agua y siente junto a la cabeza las dentelladas de otros dos tiburones más pequeños. Gonzalo y Francisco golpean el morro del animal con el cubo vacío de la carne, con el barril del agua, con todo lo que tienen a mano. Diego Pérez de Palma encuentra una de las espadas y se la hunde en las agallas, una y otra vez, sin ningún resultado, como si nada fuera suficiente para mitigar la furia de ese habitante del abismo, hasta que la hoja de acero se parte. Al sentir el último golpe, la bestia gira sobre sí misma con el extremo de la espada hundido en la carne y se vuelve al agua tibia, que es un obsceno hervidero de espuma y de sangre, porque a su alrededor se agitan una docena de tiburones que se han vuelto locos por el olor a muerte y se atacan entre ellos.

Francisco tiene las manos heridas, como laceradas por un hierro puesto al fuego. En su huida, el animal se las ha quemado por la fricción y se ha llevado consigo el aparejo.

—¡Fuera los remos del agua! —ordena Valdivia.

Y los hombres obedecen mientras ven a los tiburones rozar inquietos sus ásperos costados contra los maderos de la barcaza, y cómo al no detectar en ella a una presa se alejan poco a poco, dibujando estelas de espuma en la superficie del mar con sus aletas dorsales, hasta que otra vez dejan de verlos y se alivia su temor, por más que sepan que esa tarde, como todas las tardes, los silenciosos asesinos continuarán allí, vigilantes, describiendo amplios círculos a su alrededor que son el recuerdo de su condena.

—Es el momento, capitán —dice Diego Pérez de Palma cuando los tiburones están lejos y todos parecen más tranquilos—. Los hombres deben saberlo. No podemos demorarlo más.

Valdivia asiente con resignación y asume que lo que todos están a punto de oír no es más que la continuación de su derrota. Diego se lo había propuesto en voz baja dos días atrás, cuando Francisco de Arroyo le dijo que solo le quedaba un aparejo de pesca, pero él le pidió que esperara.

—Ya no hay nada que comer —dice Diego mirando primero a Valdivia para luego recorrer uno por uno los rostros de los demás—. Y ese tiburón se ha llevado consigo el último aparejo de Francisco: ni siquiera podremos pescar. Debemos actuar con valor, con decisión. Algunos sois veteranos, otros habréis oído hablar de marinos que han pasado por una situación parecida en alta mar y sabéis cuál es la única forma de sobrevivir. No querría tener que decirlo, pero es una ley no escrita entre los náufragos: si uno de nosotros muere, sea quien sea, no echaremos el cadáver al mar, porque algunas partes de su cuerpo podrán servir de sustento a los demás... ¿Hay alguien en contra?

Los hombres bajan la mirada. Los rostros de los más jóvenes se han transformado en máscaras de espanto. Nadie replica.

—Sea —dice Diego—. Ninguno de los que logren sobrevivir deberá contar a nuestra vuelta ni una palabra de esto, a no ser en confesión. En cuanto a la ofensa que a Dios le hacemos, todos nos acogeremos a su misericordia para que el día del juicio final no nos la demande.

El resto del día transcurre en medio de un silencio de pesadumbre. El capitán Valdivia parece ausente, sin capacidad de reacción, hundido en un sentimiento de culpa que viene de muy atrás, cuando antes de entrar en los bajos de las Víboras pudo virar el rumbo de la Santa Lucía y no lo hizo; ahora sabe que esos hombres débiles que apenas se atreven a hablar le culpan de cuanto les ha sucedido, que podrían decidir matarlo a él antes que a ninguno para prolongar sus vidas.

José García Ruiz mira a los otros dos enfermos, cree que morirán antes que él, que verá cómo les sacan las tripas, cómo los desangran y les cortan los músculos para secarlos al sol. Esos dos desgraciados están tan débiles que no han escuchado las palabras del segundo, su suerte es ignorar que serán el alimento de sus compañeros, pero él sí lo sabe, él lo ha escuchado todo y ha percibido algún gesto de conmiseración. Nunca habría pensado que conocería un espanto semejante.

Antes del anochecer divisan otra mancha oscura que se mezcla con la línea del horizonte y sospechan de un nuevo banco de medusas; las nubes del cielo muestran un vivo resplandor rojizo y no ven con claridad en esa dirección, pero algunos dicen que no son medusas, sino una masa de algas, tal vez una borrasca que roza la superficie del mar.

—¿No puede ser un banco de niebla? —pregunta Rodrigo—. No sería el primero que encontramos.

Gonzalo, que interpreta las sombras distantes como un vigía, detiene la mirada en esa línea irregular y niega con la cabeza.

—¿Qué te parece que sea entonces?

—Tierra.

—¿Estás seguro? —le pregunta Jerónimo—. Yo no la distingo bien.

—Creo que sí, que Dios no me confunda, creo que es tierra firme.

—No nos ilusiones en vano, arcabucero —dice Francisco de Arroyo—. No juegues con eso.

—Es muy posible que lo sea —dice Diego Pérez de Palma—. A mí también me lo parece.

Todos miran el horizonte mientras avanzan hacia él, en silencio, absortos en esa frágil esperanza, hasta que el vuelo circular de unos pájaros no les deja lugar a las dudas y caen de hinojos y rompen a llorar, se abrazan y rezan juntos una Salve en acción de gracias.

Poco después anochece, los hombres reman en esa dirección en turnos rápidos, guiados por las estrellas, como si no les dolieran las manos ni arrastraran ninguna fatiga.

Con las primeras luces del amanecer contemplan la línea de tierra, en la que intuyen una selva larga y frondosa frente al mar, con algunas palmeras muy altas y otras inclinadas, casi paralelas al suelo, playas de una arena tan blanca que parecen de azúcar y formaciones rocosas, no demasiado elevadas, que configuran rompientes a lo largo de la costa.

Horas después, con el sol abrasándoles la espalda, llegan a la playa. Lope Gil y el joven Antonio de Castrillón han muerto y nadie los toca. José García Ruiz se siente tan débil que no puede salir de la barcaza y lo dejan tumbado sobre los tablones del fondo para que sude toda la linfa que le pudre el cuerpo. Los otros doce supervivientes, algunos a pie y otros a rastras, llegan hasta la arena caliente, la atrapan con sus manos y caen felices en ella.

DOS

Al poco tiempo de nacer le pusieron una tablilla en la frente y otra en la nuca, las unieron entre sí con vendas y mantuvieron la tensión hasta que el cráneo adoptó una forma alargada, que entre los suyos es un signo de hermosura porque imita el aspecto estilizado del jaguar; luego le afeitaron la cabeza desde las cejas hasta el final del hueso de la frente y su madre le quemó la piel con paños que sumergía en agua hirviendo para que no le volviera a aflorar el pelo; al llegar a la adolescencia le limaron los dientes con una placa de piedra rugosa e incrustaron en ellos diminutas piezas de jadeíta y de cuarzo; ya en la juventud, le produjeron escarificaciones en las mejillas y en la espalda con un cuchillo de pedernal puesto al fuego, porque esas abultadas cicatrices son signo de virilidad y les hacen más atractivos a los ojos de las mujeres. Su nariz está perforada de lado a lado por una lanceta de hueso blanco y pulido; de los poros de su piel terrosa emergen pequeñas gotas de sudor que son diminutos prismas en los que se refleja una forma ancestral de ver el mundo; lleva una gruesa coleta oscura y brillante, anudada con fibra vegetal, aros tallados a mano que le atraviesan las orejas y tiene la piel pintada de negro y amarillo, con la forma del rayo en los pómulos y un dibujo geométrico en el pecho que recuerda el rostro vigilante de un jaguar. Detrás de él hay un grupo de guerreros mayas cocomes, todos curtidos por el sol, todos perforados en la nariz y las orejas y tatuados con imágenes que, en señal de vasallaje, son menos vistosas que las de su cabecilla; son herederos de una raza robusta y de corta estatura que no conoce el miedo, porque el miedo hace débiles a los hombres en la batalla y los vuelve despreciables a los ojos de sus dioses. Llevan hachas con filo de obsidiana, cuchillos de pedernal, cerbatanas y pequeñas lanzas de madera flexible que tienen la punta impregnada con veneno de sapo. Se esconden entre las palmas, inmóviles, como si formaran parte de la selva, llevan horas en silencio, viendo cómo se acerca a su playa esa enorme barcaza con hombres barbados que ahora ha arribado en la arena. El guerrero que está a su lado espera una orden y él le hace un gesto con la mano para que espere. Es Balam, el temido, y todos le obedecen.

Se muestra prudente ante la llegada de los extranjeros. Sabe que el dios Kukulkán, la serpiente emplumada, quien gobierna los vientos y el agua y cuanto sucede en los cielos, existió mucho tiempo atrás como hombre; los sacerdotes le enseñaron que vino a esta misma playa desde el mar y que tenía barba y la piel pálida. No le parece que esos recién llegados tengan algo que ver con quien fuera uno de los creadores, con el que camina sobre las aguas, se sienta encima el árbol de los cuatro vientos y toca el fuego sin quemarse; no cree que alguien emparentado con los dioses demuestre tanta debilidad, y por eso se da la vuelta y ordena a sus hombres acercarse a los extranjeros en silencio.

Los españoles están tumbados sobre la arena caliente, casi todos dormidos, quietos como si alguien acabara de desenterrarlos y los hubiera dejado allí, repartidos por la playa. Reposan agotados y no se despiertan cuando los guerreros mayas se aproximan y los rodean, ni cuando hablan entre ellos porque les molesta su olor y les extraña sus sucios atuendos y sus barbas; solo abren los ojos cuando los tocan con el mango de sus lanzas para comprobar si están vivos, cuando les pierden el miedo y se ríen de ellos porque es tal su agotamiento que apenas se sostienen en pie.

Rodrigo de Bustamante apoya sus manos en la arena, se incorpora despacio y, al ver las armas y las amenazadoras pinturas de sus rostros, intenta desplazarse hacia la barcaza para coger las espadas, pero dos guerreros mayas le cierran el paso acercándole al cuello la punta de las lanzas y le obligan a regresar al grupo.

Valdivia sabe que todos esperan una decisión suya, son hombres valientes y nadie dará un paso atrás si ordena el ataque. Sigue con la mirada la primera línea circular de los indios y cuenta dieciocho guerreros, todos armados, en una segunda línea hay seis jóvenes más que tienen las manos vacías; no duda que Gonzalo podría matar a dos o tres, Rodrigo también, y que Juan, José, él mismo y su segundo podrían con uno cada uno; luego tiene a un par de enfermos, un medio cura, un herido y cuatro críos.

—Todos quietos —ordena el capitán—. No tenemos posibilidades.

—¿Alguien cree que puede hacerse entender? —pregunta Diego Pérez de Palma.

—Cuando estuvimos en Santa María la Antigua aprendí a hablar como los indios del Darién —dice Francisco de Arroyo—. No sé si estos me comprenderán.

—Os recuerdo que necesitamos mastines para doblegar a aquellos indios —dice Rodrigo—. Y que no atendieron a razones.

—Pero aquí no hay mastines —contesta Diego—. Adelante Paco, inténtalo, con mucha prudencia.

Francisco de Arroyo se levanta despacio, inclina la cabeza en gesto de respeto y habla a los cocomes en una lengua que les resulta ininteligible, les dice que han sobrevivido a un naufragio, que vienen del Reino de Castilla, un país lejano al que se llega tras navegar durante muchos días hacia donde sale el sol, que son fieles vasallos del muy poderoso y muy católico rey Don Fernando y de su hija la reina Juana, que no quieren hacer el mal a nadie y que dan gracias a Dios Todopoderoso por haber encontrado esta hermosa tierra, en la que no desean quedarse más tiempo del necesario, pues solo necesitan un poco de agua y algo de comida.

Balam, que ha crecido en un mundo de respetuosos silencios y estrictas clases sociales donde los prisioneros tienen prohibido dirigirse al jefe de sus captores, se considera ofendido por los modos de ese extranjero insolente que agita unas manos cubiertas con jirones de tela ensangrentada y le habla con la torpeza de un niño. Da un paso al frente y, mirándolo con desprecio, le golpea con el hacha en el lado izquierdo de la cabeza, un impacto que suena a muerte hueca, igual que si hubiera aplastado una almendra. Francisco dobla las rodillas y cae al suelo roto, como una marioneta sin hilos.

—¡Maldito asesino! —grita Diego adelantándose.

—¡Guarda silencio, Diego! —ordena Valdivia mientras lo detiene y le hace volver al grupo—. ¡Y escuchadme bien! No les deis motivos para que nos maten a todos aquí mismo. Esperaremos mejor ocasión, todavía no sabemos qué quieren de nosotros.

Balam se acerca a los prisioneros y ordena con gestos que se levanten. Ha detectado la autoridad de Juan de Valdivia y se detiene ante él. Clava en sus ojos los suyos en señal de desafío y Valdivia baja el rostro. Balam sonríe con desprecio y busca entre los españoles a alguno que no se arredre ante su provocación; Gonzalo, Diego y Rodrigo no parecen dispuestos a humillarse. Se acerca a Gonzalo, lo hace tanto que sus narices casi llegan a tocarse, y al ver que el extranjero no se doblega, apoya la punta de su cuchillo en el pecho del alférez y empieza a deslizarla hasta que el filo del pedernal le hiere la piel. Gonzalo siente en su interior un torbellino que lo arrastra a elegir entre la sumisión, que no es más que una forma de decepcionar cuanto ha gobernado su vida, o el sacrificio que supondría hacer frente a quien sin ninguna provocación se regodea humillando a unos hombres desarmados.

—Eres un miserable cobarde —dice Diego desafiando a Balam—. Si no portases ese cuchillo te mataría con mis propias manos.

Y Balam no entiende esas palabras, pero asume en ellas una ofensa. Se acerca al segundo, le mira a los ojos y, mientras Diego le mantiene la mirada, le hace un profundo corte en la cara, pero el segundo aprieta los dientes y no le da la satisfacción de mostrar su dolor.

Después hace un gesto a Canek, la serpiente negra, que con un aspaviento lo transmite al resto de los guerreros. A punta de lanza obligan a agruparse a los extranjeros, les atan las manos a la espalda y los cuellos los unos a los otros, tan apretados que apenas pueden respirar. Luego los empujan para que enfilen el camino hacia la selva, igual que si fueran reses. Ninguno entre los españoles tiene fuerzas para defenderse ni para huir, además sus espadas se han quedado en el fondo del batel, donde José García Ruiz sigue inconsciente.

Cuando se marchan, ven incorporarse a Francisco de Arroyo, al que habían dado por muerto; giran las cabezas y observan cómo se tambalea y camina con paso inseguro detrás de ellos, hacia la selva. Tiene el rostro lleno de sangre y no consigue mantener los ojos abiertos. Tropieza, cae, se arrastra y vuelve a levantarse, como si prefiriera ir prisionero, como si supiera que quedándose solo en la playa no lograría sobrevivir.

Tres mujeres mayas, que llegaron acompañando a los guerreros y que se han mantenido escondidas entre la maleza, se acercan a Francisco y con gestos benévolos le invitan a sentarse en la arena; una de ellas, a la vez que murmura algún tipo de canción, hace un emplasto con hojas carnosas dobladas, agua de mar y un poco de barro y se lo pone con delicadeza sobre la herida. Él no opone resistencia, está confuso, sabe que necesita ayuda y que unos indios armados se llevan a sus compañeros, pero no recuerda qué hace allí, ni por qué tiene las manos vendadas y le sangra tanto la cabeza; poco a poco le invade una ausencia tranquila, vacía de preocupaciones, y por un momento que le parece hurtado de un sueño no distingue si la arena caliente en la que se hunden sus manos forma parte de una playa o de un desierto, ni si las mujeres que le atienden son unas indias amables o las monjas del convento de la Natividad.

Los prisioneros caminan por la selva en medio de una humedad sofocante, empapados por el sudor, asediados por los mosquitos, con las bocas resecas por la sed y por el miedo. Es una jungla cerrada, casi sin luz, con un cielo ínfimo sobre sus cabezas, un laberinto verde que huele a pólenes y a pieles mojadas de animales.

Poco después se adentran en un terreno irregular, de suelos ásperos y calcáreos en los que hay pequeñas áreas sin vegetación que son como cicatrices en la piel de la selva. Balam levanta despacio la mano derecha y el grupo se detiene, sin que ninguno de los españoles sospeche el motivo. Canek separa los brazos y los mira con los ojos muy abiertos, tanto que parecen salirse de las órbitas, y todos entienden la proximidad de un peligro. Nadie mueve un músculo, ni hace ruido, incluso las aves callan y el aire se queda estancado entre los escasos rayos de luz que atraviesan la maleza. Los españoles no comprenden lo que sucede, pero detectan la tensión en los mayas y tampoco se atreven a moverse. Un instante después, y más cercano de lo que les gustaría, ven desplazarse un enorme jaguar como lo haría un espíritu silencioso que fuera capaz de moverse sin tocar el suelo. El animal sabe que esos humanos se encuentran en su territorio de caza, ruge con un sonido grave y profundo que a los españoles se les antoja sobrenatural y se detiene para abrir la boca y enseñarles sus dientes de pesadilla; luego, después de mirarlos un momento interminable, se aleja majestuoso, seguro de que los intrusos han comprendido su aviso.

Tras caminar cerca de una hora y ascender por una garganta que es la huella de un viejo torrente seco, sobre piedras pulidas que parecen cráneos semienterrados y formas sinuosas modeladas siglos atrás por la erosión del agua, llegan a un claro de la selva desde el que divisan la cúspide de una gran pirámide truncada y oscura por encima de las copas de los árboles, una construcción sublime y siniestra, que les parece tan alta como la torre de una catedral.

Al entrar en la ciudad contemplan varias hileras de edificios de adobe y paja, de planta redondeada y una sola altura, muchos de ellos con pequeños huertos a su alrededor; calles largas y ordenadas con conducciones de agua a los lados; puestos de mercado en los que se venden frutas, molienda de maíz, semillas, hierbas medicinales y plumas de pájaros; y otros con tejidos de muchos colores, vasijas, máscaras y pequeñas piezas de artesanía, pieles secas de lagarto y de unos puercos con las orejas redondas que los indios llaman tapires; y ven también una estructura abovedada manchada de hollín y de cenizas que les recuerda a un horno de alfarero, y más allá un taller de carpintería, con el suelo cubierto de serrín, un juego de herramientas con puntas de piedra en la pared y los tablones bien ordenados por tamaños y grosores. A la vez que ese otro mundo se les hace reconocible, tanto que les parece que revisitaran su propio pasado, a la vez que comprenden que unos hombres muy distintos a ellos han desarrollado una civilización semejante a la suya en el otro extremo de la Tierra, empiezan a pensar en lo lejos que están de sus casas y en el desamparo que les atenaza.

Salen a su encuentro unos perros diminutos, casi sin pelo, con las orejas grandes y la piel lisa y manchada, que avanzan a pequeños saltos, nerviosos y coléricos. Ladran a su paso con estridencia, como si les gritaran su rechazo, y se atreven a olisquearles los pies y a morderles el calzado hasta que arrancan un pequeño trozo de cuero, o algún cordón; luego se marchan a un escondrijo oscuro, todos juntos, a saborear su proeza.

Atraviesan calles angostas, confinadas entre muros de mampostería, tan estrechas que un hombre alto con los brazos en cruz tocaría a la vez ambas paredes. Están decoradas con pinturas que representan a guerreros con máscaras negras y con grandes plumas verdes tornasoladas de un ave a la que llaman quetzal puestas en sus cabezas y mujeres que avanzan de rodillas o agachadas y llevan ofrendas a una gran serpiente con la piel en llamas; descubren a su lado dos figuras rojas con los cráneos deformes y alargados, cubiertos con sombreros de formas extrañas y con los brazos en alto que portan estandartes y lanzas como si marcharan hacia la batalla.

Cuando llegan a lo que intuyen que es el centro de la ciudad, sus captores les hacen subir por unas escaleras de piedra hasta una plaza muy amplia en cuyos lados se levantan los mayores edificios: un palacio horizontal, lúgubre y envejecido, con muchas celdas cuadrangulares, accesos adornados con bloques de roca tallada que simulan colmillos de león y dos torres levantadas sobre pilares de piedra enteriza en cada uno de sus extremos; a su lado otra construcción elevada, de planta redonda, como una atalaya, engalanada con frescos descoloridos y confusos a modo de estela que narran una matanza de niños y mujeres y la toma de una ciudad en medio de una tempestad de sangre; y por encima de todo se eleva la enorme pirámide oscura que vieron desde la selva, una auténtica montaña de cantería antigua, siniestra, soberbia a pesar del desgaste producido por el paso del tiempo, que hubo de ser construida por las manos de muchos hombres y contar con la dirección de hábiles arquitectos; tiene nueve alturas y cuatro escaleras muy empinadas en sus laterales, de más de cien peldaños cada una, con alfardas y ornamentos labrados en su base que representan cabezas de serpientes que enseñan las fauces. La corona una terraza con una caseta con el techo abovedado, las cuatro paredes adornadas con relieves geométricos y una mesa ceremonial frente a la entrada que les recuerda a un altar.

Una muchedumbre ocupa la plaza y los mira con curiosidad, como si los estuvieran esperando: adolescentes orgullosos con actitudes frías y desafiantes, viejas encorvadas de piel fruncida y ojos pequeños, mujeres jóvenes con la piel del cuello y de los brazos pintada de rojo cinabrio que adornan sus pechos con vistosos collares de pedrería y niños que van casi desnudos, con una pequeña bola colgando frente a los ojos y que bailan riendo a su alrededor, como si su aparición formara parte de lo más esperado de una fiesta. Su pelo es oscuro y liso, los ojos son ligeramente rasgados y muchos de ellos son bizcos; tienen los pómulos prominentes y la piel cobriza, igual que los indios que habían conocido en el Darién, pero son más numerosos, solo en ese pueblo debe de haber unos tres mil, además les parecen más inteligentes y mejor organizados que aquellos salvajes. Algunos indios se ríen de ellos y al hacerlo les muestran unos dientes tallados y con pequeñas incrustaciones de jade, de amatista o de cuarzo, mientras se burlan de su aspecto y de sus ropas, otros los miran sin comprender, con ojos estrábicos, y los más osados se atreven a alargar las manos para tocarles las barbas.

Los conducen al pie de la pirámide y les obligan a sentarse juntos en el suelo, cerca del fuego de unas antorchas. Nadie sabe qué pensar, pero intuyen en ese caos la simiente enferma del delirio. Escuchan una música extraña, un jolgorio sin armonía que sale de silbatos de hueso, de caracolas de mar, de flautines de caña y de pequeños tambores hechos con caparazones de tortugas y pieles de venado; todos gritan en medio de un alboroto enloquecido de brazos en alto y cuerpos que se tambalean que es un certero aviso de la fatalidad, hasta que de repente el gentío calla y solo suenan algunos tambores; cada vez más despacio, en un ritmo pausado y solemne, como de difuntos.

Por uno de los lados de la pirámide aparece un hombre eminente escoltado por cuatro guerreros con tatuajes oscuros y colgantes en el cuello que son garras de felino disecadas; el hombre tiene prendida en los hombros una capa larga de color azul turquesa, con finos bordados en hilo de oro, lleva la cara pintada de amarillo y va tocado con un aparatoso sombrero rojo que es la cabeza de un pájaro infernal con un penacho de flores a modo de cresta y el pico abierto con la lengua fuera. El hombre pintado de amarillo eleva los brazos y hace callar los tambores; se acerca a los prisioneros, los mira con una escrupulosa severidad, levanta un pequeño bastón afilado con el mango adornado con plumas y con él señala primero al capitán Juan de Valdivia y luego a su segundo, Diego Pérez de Palma; pasa frente a Gonzalo y Jerónimo sin señalarlos, después apoya el bastón en el pecho de José Álvarez de Amezcua; pasa ante los jóvenes, que tiemblan de miedo, se detiene ante Pablo, que aprieta en su puño derecho el soldado de madera, pero también lo ignora; por último señala a Juan de Quesada. Después cierra los ojos, como si cayera en trance, baja el bastón y vuelven la música y el griterío de forma aún más intensa y desordenada: todos saben que ha comenzado la ceremonia.

A esos cuatro los sacan de malos modos del grupo, los llevan a una pequeña estancia de madera junto a la pirámide en la que los golpean para doblegar su voluntad, los desnudan y los embadurnan con pintura azul. Después bailan a su alrededor dando voces y agitando unos bastones para espantar a los demonios. Los sacan de la cabaña y los suben de uno en uno por la escalera lateral de la pirámide. Los cuatro intuyen el peligro, y al principio forcejean e intentan resistirse, pero una turba de guerreros encabezados por Canek los reduce y los obliga a seguir. Cuando han subido un tercio de los estrechos peldaños ya no se atreven a enfrentarse a ellos, pues la propia altura y lo empinado de la escalera harían mortal la caída.

—¿Qué van a hacerles? —pregunta Pablo.

—No lo sé —contesta Gonzalo—. Pero sea lo que fuere, mantened la calma. ¿Entendido? Sea lo que fuere.

Gonzalo mira a los jóvenes y espera su respuesta. Algunos se han orinado encima por el miedo.

—¿Entendido?

Los muchachos asienten temerosos uno por uno con un leve movimiento de la cabeza.

Los cuatro hombres llegan arriba, cerca de la morada de los dioses, a la novena altura, que es donde se encuentra la terraza de la pirámide. A los ojos de sus compañeros son pequeñas figuras azules y desvalidas a un lado del altar.

Cesa la música, se hace un inquietante silencio y distinguen que se desplaza la cortina que tapa la única entrada de la pirámide y que aparece otro hombre delgado y de mucha estatura, casi desnudo, con el pecho adornado con collares que llevan joyas engarzadas, verdes y amarillas, muy vistosas, con un enorme penacho de plumas rojas y azules, grandes pendientes colgando de las orejas y un adorno rectangular sobre la nariz que brilla como una placa de oro. Todos callan ante su presencia. Quienes están en la terraza bajan la cabeza y esperan sin moverse ni mirarle a los ojos a que pase despacio junto al altar y se acomode en su trono.

El hombre pintado de amarillo se gira hacia él y le pide autorización con un gesto sumiso. El hombre del penacho de plumas, que parece habitar en un mundo paralelo, ajeno al dolor y al padecimiento, indiferente a la tiranía del tiempo y a las penurias de los hombres, entorna magnánimo los ojos. Regresa el griterío, el bastón del hombre de amarillo señala a Valdivia y cuatro guerreros lo empujan a pesar de su resistencia y lo tumban boca arriba sobre el altar, sosteniéndolo por los brazos y las piernas. El hombre de amarillo se sitúa junto a su costado y frente a la muchedumbre, separa los brazos, mira a lo alto invocando a voces la protección de su dios Itzamná, hijo de Hunab Ku, Señor del cielo, de la noche y del día, grita unas palabras desquiciadas que exaltan a las masas, porque hablan de salvación, de vidas inmortales, de la llegada de las lluvias y del final de la ira de los dioses y, de un solo golpe, hunde el bastón afilado en el pecho del capitán, que no puede moverse porque lo tienen aprisionado. El verdugo gira el filo del bastón en círculo y rompe con él algunas costillas, que crujen como ramas secas mientras salta la sangre en todas direcciones. Antes de que Valdivia deje de agitarse, mete sus manos en el pecho, separa con ellas los huesos rotos y corta con el borde de obsidiana los grandes vasos alrededor del corazón, lo arranca de su asiento natural y lo levanta aún latiendo por encima de su cabeza, como si fuera un trofeo. Coloca la víscera en una copa con piedras calientes cerca del hombre que está sentado en el trono y otro chamán que se halla a su lado la toma y mancha con su sangre los rostros de los ídolos de piedra que rodean el altar mientras entona con voz ronca una letanía de palabras ininteligibles. Luego le dan al hombre de amarillo un hacha ceremonial de mango muy largo, como una guadaña, la eleva hacia el sol y, de un solo tajo, le corta la cabeza al cadáver de Valdivia; después la agarra por el pelo, la muestra a la muchedumbre, que grita trastornada, y con una expresión de desdén la arroja escaleras abajo. La cabeza salta de unos peldaños a otros escupiendo una infausta espiral de sangre y llega hasta el suelo, donde unos jóvenes rivalizan entre ellos por el privilegio de atraparla con una red. Más arriba, el cuerpo de Valdivia es el de un muñeco roto, una presencia sucia y grotesca sobre el altar. Dos hombres lo elevan por los brazos y las piernas y lo hacen rodar por las escaleras. Cuando el cadáver alcanza el suelo, cuatro viejos desnudos provistos de cuchillos de hueso bien pulidos van hacia él y, ante la vista de todos, ejecutan unos cortes rápidos en el bajo vientre, en la espalda y en los costados, y con unos tirones fuertes y precisos lo desuellan, dejando solo con piel los genitales, las manos y los pies. El primero de los ancianos se enfunda el pellejo del capitán Valdivia igual que si fuera una vestimenta infame; y con ese disfraz teñido de azul y de sangre baila como un enajenado alrededor del muerto, y los otros con él.

Jerónimo, Gonzalo y los demás creen que viven un sueño febril, que todo terminará y despertarán en la barcaza, en medio de las corrientes, porque aquel infierno en el mar era mucho mejor que este, a pesar del hambre y la sed, a pesar de los tiburones y la incertidumbre de sus noches, pero en seguida regresan a la realidad y ven cómo empujan también a Diego Pérez de Palma hasta el altar, que todavía chorrea la sangre caliente de su capitán, cómo forcejean con él y lo reducen y lo tumban encima de la piedra y de qué forma, a pesar de su desesperada oposición, le abren el pecho y le sacan el corazón y le cortan la cabeza en medio del mismo estruendo de almas enloquecidas, con el mismo oscuro entusiasmo. Y luego lo repiten con José Álvarez de Amezcua, que no se resiste y llora como un niño, y con Juan de Quesada, que se ha desmayado antes de que le llegara el turno y al que despiertan a golpes para no matarlo sin sufrimiento.

Cuando todo termina hay cuatro cadáveres decapitados y desollados a los pies de la pirámide, cuatro ancianos que visten sus pellejos, largos rastros de sangre iridiscente que resbalan sobre los peldaños de la escalera y una muchedumbre exaltada que celebra el advenimiento de una dicha definitiva.

Los españoles miran la pila de cadáveres con la fijeza de un loco, sin expresar temor o ruina, porque tienen el juicio aniquilado.

TRES

Los guerreros mayas empujan a sus siete prisioneros lejos de la pirámide, los sacan a empellones de la plaza ceremonial y los conducen sonámbulos a través de las calles polvorientas. Los jóvenes están a punto de derrumbarse, de dejarse caer para que los maten allí mismo y no conocer esa demencial forma de sacrificio; si no lo hacen y acomodan el paso al de los veteranos es porque algo dentro de sus cabezas les dice que nada de lo que han visto puede quedar impune, ni la sangre, ni los cuerpos rodando por las escaleras, ni los gritos de horror, ni los viejos bailando dentro de la piel de sus compañeros, que no es posible que Dios tolere una realidad tan cruel sin ponerse del lado de los débiles.

Se cruzan con algunos niños que se ríen al ver las manchas de orina en los pantalones de los jóvenes y luego lo hacen con una anciana que lleva unas ropas dobladas sobre el pecho; la vieja se hace a un lado para que pasen, clava sus ojos blanquecinos en los de Jerónimo y mientras se señala la lengua susurra unas palabras confusas que esconden una maldición.

En su camino de animales de feria los hombres interiorizan el miedo, lo hacen consciente para poder luchar contra él. Ninguno de los navegantes que habían conocido les habló nunca de este horror, ni siquiera los esclavistas portugueses que venían de las costas de África, y el impacto los ha dejado mudos, casi domesticados.

Los encierran en una choza en los arrabales de la ciudad para que pasen la noche, en el extremo opuesto a donde se sitúa la pirámide; se trata de una sencilla construcción circular sin ventanas, con base de adobe y paredes de caña gruesa, el suelo de arena y la techumbre de paja con hojas de palma superpuestas para conducir las aguas de lluvia.

Durante mucho tiempo permanecen en silencio, desperdigados por el suelo, algunos tumbados, otros con el rostro entre las manos, todos hundidos en esa forma de ausencia rígida que aturde los sentidos después de presenciar una desgracia. La catarsis les ha hecho conscientes de su propia fugacidad y asumen que un pequeño cambio en el curso de los acontecimientos podría haber acabado con sus vidas. A veces es el azar quien elige al muerto y a veces es un hombre que tiene la cara pintada de amarillo.

Antes de que anochezca entran unas mujeres descalzas y les dejan en el suelo dos banastas con frutas que les resultan similares a las que habían visto en el Darién: huayas, nances y bayas de caimito; luego entran con un ave entera cocida del tamaño de una gallina, pescado seco, unas legumbres oscuras trituradas y unas tortillas blandas y amarillentas que les recuerdan al pan recién amasado.

El horror, que solo cede ante el instinto de supervivencia, no les ha quitado el apetito después de tantos días de ayuno, pero nadie se atreve a comer. Al ver su indecisión, uno de los guerreros mayas los mira con más incredulidad que recelo, señala la comida y se acerca la mano a la boca. Después se ríe de ellos, sale y bloquea la entrada.

Rodrigo mira el ave cocida y luego a Gonzalo y a Jerónimo. Se encoge de hombros y empieza a comer.

—¿Qué sentido tiene darnos de comer si van a matarnos? —pregunta Rodrigo—. Mirad esas viandas. Parece un banquete. No seremos capaces de terminarlas.

Se produce un breve silencio mientras los hombres alargan los brazos para coger algún alimento, que rompe la voz asertiva de Jerónimo.

—Cebarnos.

Todos dejan de comer al oír esa palabra y miran a Jerónimo.

—No puedo creer que seáis tan inocentes —dice Jerónimo mientras les devuelve la mirada uno por uno, de la misma forma pausada y severa con que había visto hacerlo a sus maestros en el colegio sacerdotal—. Habéis llegado a pensar que aquí somos algo parecido a unos huéspedes y que su amabilidad los lleva a alimentarnos para que repongamos las fuerzas.

—Tal vez haya sido un escarmiento y nos quieran como esclavos —dice Gonzalo.

—¿Te parece esta una comida de esclavos? ¿No os habéis fijado en ese de la cara amarilla que ejercía de sacerdote? No estaba iluminado por los dioses cuando eligió a quiénes ejecutar, su propósito era mucho más mundano; nos miró a todos y señaló con el bastón a los cuatro con más gorduras. ¡Ahora se estarán hartando de carne humana!

—¡No puedes saber eso! —replica Rodrigo con la boca llena de comida y miedo en los ojos, pues es él, entre los supervivientes, el de más peso—.

—Si poseyeras tanto juicio como gula entenderías que el hombre que confunde la lógica con sus deseos no acierta jamás. ¿No habéis visto cómo se comportaban? Les han arrancado el corazón estando todavía vivos, sin ninguna piedad, y entre todo el gentío no había nadie que no lo celebrara: los niños, las mujeres, los viejos... todos gritaban, era una fiesta de su comunidad, un maldito botín para repartir.

Jerónimo mira a sus compañeros y los ve abatidos, harapientos, con los rostros sucios por el polvo, la sangre y las lágrimas; sus ojos ya no arden con la luz de la resistencia, ni albergan ilusión, sino que están ensombrecidos por el desaliento.

—¿No hablaba Colón de aquellos otros indios caribes que comían personas y que adornaban sus casas con brazos y piernas que secaban al sol? Hasta nosotros hemos estado a punto de hacerlo en el batel. El miedo a asumir una verdad odiosa os ciega.

Tal es la convicción de Jerónimo que nadie se atreve a contradecirle. Los siete hombres siguen comiendo mientras respiran el mismo aire funesto y comparten una sensación extraña, temerosa y derrotada. Jerónimo comprende que por ahora no debe insistir, ha hecho suficiente con extender entre ellos la semilla de la duda.

—Alférez —le dice a Jerónimo el joven Pablo Torralba, que hasta ese momento ha guardado silencio— ¿Vos sabéis leer y escribir?

—Claro que sí, Pablo. Me enseñaron los curas a tu edad.

—Yo no sé bien las letras, pero me gustaría aprenderlas.

—Quieres que te enseñe. ¿No es eso?

—Hay una muchacha de mi pueblo, se llama Elicia, a veces nos hablamos, ya sabéis a lo que me refiero; he pensado que estaría bien escribirle y darle noticia de todo esto. No quiero que se me olvide nada, ningún detalle.

—Yo te enseñaré. Te lo prometo.

Pablo esboza una sonrisa, la primera en mucho tiempo.

—Y otra cosa más, alférez...

—Dime.

—Si vais a intentar salir de aquí, os ruego que me llevéis con vos.

Durante la noche llega hasta sus oídos una música de tambores y de instrumentos de viento amortiguada por la distancia y distinguen entre las cañas el resplandor intermitente de las hogueras. Nada es demasiado distinto de lo que oirían en cualquiera de sus pueblos una noche de fiesta, después de haber comido y bebido hasta el hartazgo, tras haber celebrado una romería, el regreso de una partida de caza o una victoria de su ejército.

Los hombres se miran entre ellos y buscan a Jerónimo, que se ha convertido en la máxima autoridad desde la ejecución del capitán Valdivia y de su segundo; todos piensan, sin reconocerlo, que sus sospechas deben de ser ciertas. Jerónimo no es un hombre enérgico, no destaca por su capacidad de mando ni por su bravura, pero reúne algunas virtudes que con el tiempo le han hecho acreedor del afecto de todos: es juicioso y reservado, siempre ha mantenido la calma en las situaciones límite y aunque le repliquen nunca levanta la voz. No saben que él también está desconcertado, que igual que les sucede a ellos no se ha sentido nunca más desvalido, pero que su escrupuloso sentido del deber le impide decepcionarlos. No es la primera vez que le sucede, recuerda una noche de verano en la isla de La Española; parte de la tripulación visitó una casucha del barrio portuario donde él pensaba que iban a comer y a beber, cuando en realidad era un lugar ajeno a toda moral donde descubrió que hay un tercer tipo de mujeres, distinto a las señoras y a las religiosas, unas que miran de frente a los hombres, se ríen a carcajadas con ellos y los desafían con su voluptuosidad. Esa noche se mantuvo al margen, sin atreverse a hablar con aquellas meretrices, que tenían tanto de hermosas como de flores marchitas, y mucho menos a acompañarlas a sus habitaciones como hicieron los demás; se quedó solo, tumbado en el malecón del puerto, y luego aseguró que había pasado la noche con una nativa. Hoy no puede ser así, no puede mentir a sus compañeros, aunque no tenga nada que decirles para hacer más soportable la realidad, aunque crea de sí mismo que es el tipo de hombre que pasa por la vida sin dejar rastro; hoy debe apretar los dientes y procurar que el grupo se mantenga unido y que todos sobrevivan.

Los hombres buscan en silencio un trozo de suelo desnudo en el que descansar, cerca de algún compañero, igual que unos animales asustados.

Fuera de la choza sigue el rumor festivo, que se hace más vibrante, tal vez porque ha empezado a llover y la lluvia era una de las súplicas que el hechicero hacía a sus dioses. Escuchan las gotas romperse sobre las grandes hojas del henequén, empapar el suelo de tierra prensada, formar charcos entre las rocas y deslizarse por la techumbre, sobre sus cabezas. De vez en cuando se filtra una gotera que alcanza a mojarlos y algunos recogen agua con las manos para refrescarse un poco la piel.

Jerónimo reflexiona sobre la difícil responsabilidad que sin buscarla ha contraído con estos hombres. Gonzalo también es alférez, pero tiene menos autoridad en el grupo; sin duda es mejor soldado, más fuerte, más hábil con las armas, un buen líder militar capaz de organizar una batalla en campo abierto, pero todos intuyen que arrastra una personalidad herida, que hay en él una fragilidad esencial, tal vez esa forma de ofuscación que entra en el pecho de algunos hombres en medio del humo y el ruido de las batallas, que destruye su tranquilidad y su esperanza y los priva de cordura.

Antes de zarpar, en Santa María la Antigua, hubo una reyerta con unos marinos borrachos de otra nave, unos pendencieros que solo buscaban pelea; todos pudieron ver que Jerónimo se interpuso y fue capaz de apaciguarlos con la palabra mientras Gonzalo ya había desenvainado la espada y herido en el costado al más cercano. Ese poder de la palabra, que Jerónimo atesora desde siempre y que considera un regalo de la providencia, le hizo pensar en la bondad de poner su talento al servicio de alguna de las órdenes de la Iglesia y predicar la palabra de Dios. Cuando conoció las expediciones a las Indias Occidentales y supo de la existencia de miles de indígenas que no conocían el evangelio, decidió que sería allí donde mejor podría servir a Cristo, donde obtendría su clemencia por haber abandonado el colegio sacerdotal antes de completar su formación.

—¡Jerónimo! —dice Gonzalo en voz baja.

—¿Qué?

—¿Has oído eso?

—¿A qué te refieres?

—Alguien merodea ahí fuera.

—¿Un vigilante?

—No lo creo.

Los dos se levantan y se desplazan a un lado de la choza, de donde proviene el sonido que ha alertado a Gonzalo. Sin hacer ruido separan un poco las cañas, lo suficiente para ver algo del exterior.

—Mira, ahí hay alguien.

—Tienes razón.

—¿Es uno de los nuestros?

—Sí, es Francisco.

Francisco de Arroyo camina desorientado entre las chozas, igual que si estuviera borracho; arrastra la pierna derecha y apenas puede mover el brazo de ese mismo lado, que se balancea inútil junto al cuerpo.

—Mírale la cabeza.

Un emplaste vegetal cubre la herida de la cabeza con un remedo de vendaje casi transparente y humedecido por la lluvia, del que gotea un repugnante líquido turbio; se le ha hinchado la cara y apenas mantiene abierto el ojo izquierdo, que muestra unos párpados morados y tensos por la inflamación.

—¡Francisco! —susurran.

—¡Paco!

Y Francisco mueve la cabeza al oír su nombre.

—¡Aquí, Francisco, en la choza!

El marino mira en esa dirección, pero no percibe nada.

—Dentro, estamos dentro, somos sus prisioneros.

Francisco parece un espectro bajo la lluvia, un enfermo privado de entendimiento que ha huido de su encierro. Durante algún tiempo se mantiene quieto, en busca de algo indefinido con su mirada brumosa, sin la certeza de saber si está vivo o transita por el mundo de los muertos. Al final, cuando da la impresión de que vaya a alejarse, camina hacia la choza, se desplaza en zigzag, como si esos hombres encerrados no le inspiraran confianza, o como si olvidara a cada instante qué es lo que hace allí y adónde se dirige.

—Francisco, por favor…

Al llegar a su lado, Francisco pega la cara a las cañas de la choza para oírlos mejor.

—Somos nosotros, Francisco; Jerónimo y Gonzalo, dentro están Rodrigo y algunos de los jóvenes, ayúdanos a salir, por favor, consíguenos una lanza, un cuchillo, o cualquier arma… Francisco… ¿Entiendes lo que te digo?

—Paco, por el amor de Dios, reacciona... Esos indios han matado ya al capitán, al segundo, a José Álvarez y a Juan de Quesada... Les han sacado el corazón y les han cortado la cabeza... Tienes que ayudarnos.

Francisco tiene la mirada extraviada y la boca entreabierta, y solo logra sonreírles mostrando los agujeros que han dejado sus dientes y una expresión pueril, de marioneta trágica, muy distinta de la de hace unas horas. No hay lucidez en su rostro, ni siquiera discernimiento, pero tampoco son las facciones de un hombre ausente; ha regresado a un estado de completa ingenuidad, a algún momento de su primera infancia en el que no existieran las preocupaciones y todo a su alrededor le resultara confuso e indiferente. Paco los mira sin entender, con una apática candidez, y vuelve a alejarse de ellos mientras murmura sonidos inaudibles y arrastra la pierna derecha.

—¡Francisco! ¡Francisco, no te vayas, por favor!

—¡Paco!

Arrecia la lluvia y la silueta de Francisco desaparece bajo su manto gris a la vez que se apagan las últimas hogueras y poco a poco dejan de oírse los tambores.

—Aquí solo nos espera la muerte —dice Jerónimo—. Necesito tu apoyo, Gonzalo, estos no van a hacer lo que les ordene si no se convencen de que los dos estamos de acuerdo. A ti te admiran, eres un soldado, pero en mí ven poco más que un clérigo. Cuando salgamos ahí fuera sin saber adónde dirigirnos y les aceche el miedo, solo te obedecerán a ti.

Jerónimo sabe leer en el rostro de Gonzalo; es un hombre indomable, alguien que no ha querido formar una familia ni tener deudas con nadie, pero está cansado de luchar; salió de Castilla en busca de una nueva vida, para dejar de ser un peón en la partida interminable que juegan los poderosos. En el tiempo que ha convivido con él, a pesar de que sus mundos resultaran demasiado distantes, han trabado una amistad desinteresada, una forma de confianza exenta de invasiones en la intimidad a través de la cual Jerónimo había llegado a la certeza de que ese hombre no era uno de tantos que cruzan el Océano en busca de oro, sino que lo hacía en busca de expiación; que embarcó huyendo de un recuerdo doloroso, de un secreto inconfesable. Nadie mas que él lo sabe, Gonzalo se lo reveló durante una de las noches en la larga travesía del Océano: sucedió después de la batalla del río Garellano, cerca del puerto italiano de Gaeta; los franceses habían sido derrotados y huían en busca de sus líneas, él salió a perseguirlos junto con otros arcabuceros, tenían orden de apresarlos para ganar fuerza en el intercambio de prisioneros. Gonzalo y los suyos estaban eufóricos, entusiasmados por una victoria que podía poner fin a las interminables guerras de Nápoles. Alcanzaron a un pequeño grupo de huidos más allá del desfiladero de Mola, comprobaron que eran muy jóvenes y decidieron asustarlos; los metieron en una cabaña de labranza, atrancaron las ventanas con tablones, la rodearon de paja y les dijeron que los iban a quemar. Desde fuera los oían llorar, escuchaban sus súplicas desesperadas y sus oraciones. Gonzalo sintió una indiferencia sarcástica y desalmada, tal vez la misma que sienten los testigos de una ejecución; acaso por ello no detuvo al soldado demente que aplicó el fuego a la paja para dar verosimilitud a la burla, ni hizo nada por apagarlo antes de que se extendiera, ni después, cuando nadie reía porque comprendieron que no podrían acercarse a la puerta y que aquellos muchachos franceses morirían quemados.

A la mañana siguiente, unos guerreros mayas retiran el palenque de estacas anudadas con que cubren la entrada a la choza y hacen pasar a tres mujeres que llevan cestas con comida, los mismos alimentos que el día anterior, incluso más abundantes, con una vasija de barro que contiene una bebida blanquecina que les recuerda a la leche agria mezclada con algún zumo de frutas. Las mujeres depositan las cestas y la vasija en el suelo y, sin atreverse a mirarlos a los ojos, con un pudor que les resulta llamativo, se retiran. Los guerreros hacen un gesto imperativo para que coman, salen sin darles la espalda y atrancan de nuevo el acceso.

Los hombres se observan entre ellos y luego buscan a Jerónimo.

—Esta noche nos marchamos —dice Jerónimo clavando los ojos en Gonzalo.

—Aprovechad bien esas viandas —confirma Gonzalo—. No sabemos cuándo podremos alimentarnos de nuevo.

Gonzalo mira a Rodrigo, que sin ninguna objeción agacha la cabeza y arranca un muslo del ave.

Jerónimo se sienta a comer en silencio mientras mira a sus compañeros; algunos apenas tienen pelusa en la cara, son solo unos críos, demasiado jóvenes para comprender la mueca absurda con la que les vigila la muerte. Esa noche arriesgarán la vida, pero ahora parecen contentos, excitados por la ilusión de la fuga. Hay en él un sincero deseo de ayudarlos, de devolverlos a una existencia normal antes de que la realidad les arrebate cualquier atisbo de inocencia. No quiere contribuir a que una temerosa forma de desidia les cueste la vida, por eso asume un papel de cabecilla impostado para el que le falta preparación, que no ha perseguido nunca, y lo hace convencido de que si siguieran un día más en esa choza, todos morirían.

Jerónimo junta las manos y reza. Desde niño, en cada una de las ocasiones en las que ha sentido cerca el peligro, nunca ha encontrado un refugio mejor que el de la oración. Así había sido desde que su madre le enseñó a rezar y más aún desde que a los ocho años intuyó en su interior una búsqueda. Siente la cercanía de Dios, su presencia callada y omnímoda, y le pide sin reservas por la salvación de todos, en especial por la de los más jóvenes, que les permita alcanzar el batel, bordear la costa y hallar un lugar seguro donde guarecerse. Sabe que habrá dificultades, que tal vez no todos lo consigan, pero está convencido de que antes o después pasará un barco español por esta parte de las Indias Occidentales y podrán llamar su atención.

Al contemplarlo en actitud de recogimiento, primero los jóvenes y luego el resto de los hombres, se arrodillan, juntan las manos y rezan en silencio a su lado, formando un círculo en el centro de la choza. Jerónimo levanta los ojos y los observa: en sus rostros quemados por el sol ya no se adivinan el miedo ni la sumisión, sino la esperanza; aunque no lo sepan, ya han comenzado a huir, ya están librando una batalla.

CUATRO

Al caer la noche, uno de los dos guerreros que custodian el acceso se levanta y recorre los alrededores de la choza. Es un joven cocome de apenas diecisiete años, no hace mucho tiempo que completó el rito de iniciación y vertió la sangre de sus orejas, de su lengua y de su prepucio en la tierra para devolver el regalo de la vida a los dioses; está orgulloso de la misión que le han encomendado y de que Balam, el jefe de guerreros, haya confiado por primera vez en él, pero no comprende muy bien lo que ha sucedido; han capturado a unos extranjeros venidos del mar, han sacrificado a su dios Itzamná a cuatro de ellos y ni siquiera saben quiénes son, ni qué motivos les han traído a su tierra. Lo cierto es que no se habían mostrado agresivos, él era uno de los que participó en su captura en la playa, y por sus gestos solo querían un poco de agua y comida. Habían aparecido durante la celebración del fin de los días aciagos[1] o de la mala fortuna, y por eso los sacerdotes entendieron que sus vidas debían ser ofrecidas a los dioses. ¿Con qué motivo si no habrían arribado a su playa? Echa un vistazo a través de la separación entre las

---

1 El calendario civil maya o *Haab* se dividía en 18 meses de 20 días y un periodo con los cinco últimos días, llamado *Uayeb* o días aciagos.

cañas, hacia el interior, ve al grupo de prisioneros en el suelo, dormidos los unos junto a los otros, y se pregunta qué soñarán estos extranjeros de piel clara y pelo en el mentón que apenas saben defenderse.

La luna llena refleja esa noche una luz insolente, casi diurna, y solo se escuchan los gritos lejanos de los monos araña y el rítmico ulular de una lechuza; al joven guerrero le viene a la memoria que Yum Kimil, el dios de la muerte, se representa en los templos acompañado por una lechuza. Desde niño le ha inspirado terror la imagen esquelética, putrefacta y descarnada de aquel demonio capaz de decidir de forma antojadiza quién puede vivir una noche más y quién no. Solo Kakasbal le produce más aprensión, ese otro dios maldito, monstruoso pero con el don de la invisibilidad, que emponzoña las almas penetrando igual que un vapor por los oídos, la nariz y la boca, contra quien no hay forma de defenderse una vez que ha invadido las entrañas, que devora poco a poco el espíritu de los hombres y les causa la desdicha porque los vuelve insaciables.

Deseoso de apartar de su cabeza la horripilante imagen de Kakasbal, su cuerpo oscuro, deforme e hirsuto, sus muchas manos con garras de cuervo y esa mirada enrojecida que ensombrece para siempre el corazón de los mortales, el joven cocome se sienta en el suelo cerca de su compañero y, como él, hunde la cabeza entre las rodillas. Y aunque habían acordado que la primera mitad de la noche él se mantendría despierto, no tarda en dormirse.

Dentro de la choza hay una aparente quietud, incluso se escuchan algunos ronquidos, aunque en realidad nadie duerme; Pablo tiene los ojos abiertos y, tumbado junto a la entrada, aguarda a escuchar unas respiraciones más fuertes de lo normal que delaten el sueño de los guardianes para avisar a los demás. No quiere arriesgarse, cualquier precipitación por su parte puede hacer fracasar el plan de fuga. Cuando una hora después está seguro de que los dos guerreros han caído en un sueño profundo, da un codazo a Pedro, este toca a Isidro y a Luciano, y en un momento los siete hombres se hallan en el centro de la choza dispuestos a escapar de su encierro.

Rodrigo y Gonzalo, los más fuertes del grupo, unen sus brazos frente a frente. Jerónimo trepa con agilidad sobre ellos y se pone de pie sobre sus hombros. Isidro y Pedro le aseguran los tobillos y Pablo y Luciano se quedan junto a la entrada, vigilando de cerca el sueño de los guardianes.

Jerónimo alcanza el techo y lo desmonta con cuidado; retira trozos de paja apelmazada con barro y anchas hojas de palma que le pasa a Isidro, para que este, sin hacer ruido, los amontone en el suelo. Cuando retira la paja queda al aire una estructura radial de cañas, en buena parte podrida por la humedad, que debilita con la pequeña navaja de Gonzalo hasta que la hoja de metal se parte, luego continúa con las manos sin importarle el dolor que siente en las yemas de los dedos, y por fin abre un agujero de algo más de un par de palmos por el que puede pasar un hombre. Se agarra a las cañas más gruesas de los lados y hace un gesto a Rodrigo y a Gonzalo, que cogen sus tobillos y sus pantorrillas con las manos y los dos a la vez lo elevan. Con ese impulso y su propio esfuerzo, Jerónimo sale de la choza y se queda fuera, en cuclillas, sobre la techumbre de paja.

Observa a su alrededor: el poblado parece sumido en un sueño plácido, tranquilo, como si nada extraño hubiera pasado, como si la matanza y la enfermiza celebración de la muerte que habían presenciado el día anterior no fueran una excepción de sangre y demencia propiciada por la llegada de unos extranjeros, sino que formaran parte de una rutina alucinada.

La choza se encuentra en el extremo de una de las calles periféricas, en la parte más baja del poblado, en el exterior de la muralla, de espaldas a la selva y lejos de la gran pirámide, que erige su amenazadora silueta negra como si señalara en lo alto la morada de sus dioses. Es una noche cálida y despejada en la que vuelan las polillas, huele a la podredumbre de la naturaleza y a la densa fragancia de las flores nocturnas; el resplandor de la luna llena inunda las calles como si estuvieran iluminadas por antorchas y filtra haces grises de luz entre las copas de los árboles. Jerónimo busca en las lindes de la jungla el lugar por el que deben huir; no quiere arriesgarse, han de regresar a la barcaza sin perder tiempo y la única forma de conseguirlo pasa por desandar el camino por el que los trajeron sus captores, por esa misma parte de la ciudad. Cuando lo encuentra, mira dentro de la choza y le hace un gesto con el brazo a Gonzalo para que suba.

Gonzalo demanda la complicidad de Rodrigo, que asiente seguro y se agacha; Gonzalo sube sobre sus hombros con la ayuda de Pedro y de Luciano, y cuando Rodrigo, con una demostración de fuerza que dibuja una mueca de admiración en los más jóvenes, tensa los músculos de la espalda y se incorpora, Gonzalo alcanza sin dificultad el agujero del techo y los brazos de Jerónimo, que tiran de él y lo ayudan a salir.

Una vez sobre la techumbre de la cabaña, Jerónimo señala a Gonzalo el camino que se interna en la selva. Se desplazan con sigilo sobre las cañas más gruesas sin hacer ruido, hasta colocarse justo encima de los guardianes. Todo sucede según lo planeado. Gonzalo mira a los ojos de Jerónimo en busca de su conformidad y en silencio, con los dedos de la mano, cuenta: uno, dos... y tres. Al terminar, saltan a la vez sobre cada uno de los guerreros y sin darles tiempo a reaccionar, con un rápido movimiento de los brazos, les rompen el cuello.

Todo ha sido rápido, sin sangre y silencioso.

Retiran el palenque que bloquea la entrada a la choza y dejan salir a sus compañeros, que aparecen en la claridad cenicienta del exterior con recelo, uno por uno, como tímidos espectros. Todos sienten el agradable escalofrío de la libertad, pero saben que su plan está aún muy lejos de haber culminado. Quitan las armas a los guardianes, un par de hachas cortas con filo de obsidiana, manejables y bien afiladas, una la guarda Gonzalo y la otra Rodrigo; los sientan otra vez con la cabeza entre las rodillas, como si durmieran, cierran la entrada y huyen del poblado por el mismo camino de la playa por el que llegaron prisioneros. Jerónimo y Gonzalo van al frente, los cinco jóvenes en el centro y Rodrigo cierra el grupo.

Se adentran en la selva y el camino los lleva entre palmas de pantano y altos macizos de ceibas, en medio del chirrido intermitente de los grillos y el aleteo fugaz de los murciélagos. El sendero es estrecho y apenas perceptible a través de las sombras; Gonzalo parece reconocerlo y todos le siguen, juntos los unos a los otros, sin atreverse a dudar de quien lleva la iniciativa.

Cuando se han alejado lo suficiente como para no ser oídos desde el poblado, resoplan, se atreven a sonreír y corren con pasos inseguros, sin apenas vislumbrar el terreno que pisan; a veces tropiezan en las raíces que sobresalen del suelo, o resbalan sobre las hojas mojadas por la lluvia de la noche anterior, pero no sienten dolor al caer, y si lo notan no lo mencionan, sino que bromean, se ayudan, se levantan y siguen corriendo sin aventurarse a mirar atrás, como si por dejar de hacerlo su enemigo no fuera a aparecer. Descienden por la misma garganta pedregosa que dos días atrás los condujo a la ciudad, pisan guijarros y huesos rotos, y en la amenazante penumbra creen ver calaveras humanas que surgen entre las sombras azules, colgadas de los árboles, girando sobre sí mismas como péndulos dormidos que se burlan de su suerte.

Llegan a una parte oscura y cerrada de la selva en la que reina un silencio absoluto, como de muerte reciente, en la que no se escuchan los gritos de los monos ni a las ranas silbadoras porque son los dominios del jaguar, un lugar de pesadilla donde solo son visibles los pequeños destellos lunares que centellean sobre las hojas más altas y el vuelo fugaz de las luciérnagas. Caminan a ciegas, con la respiración suspendida y el corazón encabritado, porque temen toparse con la mirada feroz de la bestia, con su sigilo mortal, con sus fauces de guardián del infierno. Caminan muy juntos, casi rozándose, hasta que alguien distingue una corriente de aire húmedo que trae el olor a salitre de la playa, y más adelante escuchan el rumor las olas y vislumbran entre la espesura el resplandor negruzco del mar nocturno.

Gonzalo divisa el batel nada más pisar la arena tibia de la playa, y todos corren hacia la barcaza como niños felices, bajo el distante palpitar de las estrellas.

Están a punto de arrastrar el batel hacia el agua, de hacerse a la mar en cualquier dirección y salir de una vez de una pesadilla que ha hecho llevaderas cuantas penurias habían conocido en el transcurso de sus vidas. Cuando llegan a la orilla descubren que el fondo de la barcaza está astillado, roto, lleno de agujeros, y en su interior no se encuentra su compañero herido, ni los remos, ni las espadas, solo los cadáveres desamparados de Lope Gil y de Antonio de Castrillón, apoyados el uno sobre el otro, juntos en el estrago de una muerte triste, picoteados por los pájaros, con las mandíbulas desencajadas y las cuencas de los ojos vacías.

—Tendremos que huir por la selva —dice Gonzalo.

—No hay otra solución —contesta Jerónimo—, pero es su territorio, nos atraparán.

—No si les tomamos una buena ventaja. Es muy probable que todavía no hayan descubierto nuestra fuga. Cuando amanezca estaremos ya muy lejos.

—Cuando nos fuimos de aquí José seguía vivo —dice Rodrigo.

—Lo recuerdo casi inconsciente al desembarcar —afirma Gonzalo—, no pudo escuchar lo que pasaba.

—Tal vez escapara —sugiere Rodrigo.

—Los indios volvieron y se llevaron las espadas —dice Jerónimo—. No creo que lo dejaran con vida.

Los hombres miran a su alrededor y, frente a ellos, en una de las palmeras, ven el cadáver de José García colgado boca abajo de un tronco inclinado. Está desnudo, atado por los tobillos, acribillado a flechazos, balanceándose despacio como un badajo siniestro, cubierto de sangre seca y rodeado por un enjambre de insectos.

—Mirad cómo lo han dejado. ¡Mala piedra y mala niebla caigan sobre esta tierra! —dice Rodrigo.

—¿Qué vamos a hacer ahora? —pregunta atemorizado el joven Pedro.

Y en ese momento, sin tiempo para que nadie le conteste, una flecha lanzada desde la selva rasga el aire y atraviesa el cuello del muchacho, que cae muerto en los brazos de Gonzalo con los ojos muy abiertos y sin pestañear, como si demandara una explicación.

—¡Vámonos! ¡Vámonos! —grita Jerónimo.

Todos corren por la playa, en paralelo a la orilla del mar, todos menos Gonzalo, que sigue quieto y de pie, con el cadáver de Pedro en los brazos. Al verlo, Jerónimo se detiene y vuelve con él.

—¡Está muerto, Gonzalo! ¡Por Dios bendito, vámonos!

Tira del brazo de su amigo y Pedro cae boca abajo con los codos flexionados en una posición imposible. Jerónimo logra que Gonzalo le siga en una desordenada carrera sobre la arena húmeda mientras a su espalda un grupo de veinte guerreros cocomes encabezados por Balam sale de la selva en tropel, dando saltos que forman parte de un baile siniestro y lanzando gritos como de pájaros.

Los seis fugados corren sin mirar atrás a la vez que el aire húmedo y el miedo les arañan la garganta y el pecho y les devuelven la impresión de vivir un vertiginoso infortunio sin final. Son pocos y están demasiado débiles para hacerles frente, y tienen la certeza de que si los atrapan ya no los llevarán a la choza, que su único propósito es matarlos a todos.

En medio de una carrera desesperada, Rodrigo no consigue mantener el ritmo de los más jóvenes, se queda atrás y Gonzalo y Jerónimo lo alcanzan.

—¡Vamos, Rodrigo! —le anima Jerónimo.

—No puedo... No puedo correr más deprisa.

—¡No hables y corre! ¡Por tu vida!

Rodrigo se retrasa, es un hombre de piernas cortas y robustas, ancho de espaldas, cargado de hombros; su cuerpo es bueno para el esfuerzo momentáneo y la lucha, no para la carrera.

—Estos hideputas no nos cogerán a todos —murmura Rodrigo, cuya cabeza ha empezado a razonar con la inercia fatal del heroísmo—. No a todos.

En un instante de generosidad, sin avisar a sus compañeros, se detiene y ve cómo estos se alejan; toma aire, se da la vuelta, eleva el hacha que lleva en la mano y ante la sorpresa de los mayas grita y carga contra ellos como si fuera el ángel exterminador. Cuando los alcanza se produce un choque brutal, una colisión de brazos, pechos y piernas en la que Rodrigo abre la cabeza de Canek con el primer golpe de hacha, luego destroza el cuello de otro guerrero y está a punto de matar a un tercero cuando Balam lo abate clavándole su cuchillo de pedernal en la espalda.

Desde el suelo, en su noble agonía, con la visión empañada por el sudor y la sangre, Rodrigo sonríe, pues sabe que ha logrado cierta ventaja para los suyos.

—¡No sigáis por la playa! —grita Jerónimo a los tres jóvenes que van por delante—. ¡A la selva! ¡Meteos en la selva!

Los muchachos no le oyen, o no se atreven a hacerle caso, y siguen por la playa.

Jerónimo y Gonzalo giran hacia la selva. Al verlo, Balam ordena que sus guerreros se dividan en dos grupos. Sabe que los dos hombres que ahora ve adentrarse entre los árboles son los cabecillas y decide dirigir él mismo el grupo que los persigue.

Pablo, Luciano e Isidro huyen por la playa. Con ansia, con miedo y las manos desnudas, sin nada para defenderse. Sus perseguidores son más fuertes que ellos y les recortan terreno.

Un guerrero maya, con una habilidad aprendida en muchas jornadas de caza, echa atrás su brazo sin detenerse, tensa los músculos y arroja su lanza, que se eleva sobre las cabezas de sus compañeros, describe una parábola nefasta y al bajar roza la pierna de Isidro, que cae en la arena por el impacto y, sin reparar en la gravedad de la herida, empujado por la excitación, vuelve a levantarse, pero se da cuenta de que no puede correr. Decide lanzarse al agua, pues se considera capaz de dejar atrás a sus perseguidores en la negrura del mar. En su comarca nadie lo alcanzaba, se tiraba desde la cubierta de los barcos a la bahía de Algeciras y nadaba durante horas, aunque soplara viento de Levante o hubiera oleaje. Dos guerreros se separan del grupo, le persiguen con grandes saltos sobre el agua y lo cazan cuando apenas les cubre por las rodillas, mucho antes de que la escasa profundidad le haya permitido dar las primeras brazadas. Entre los dos le hunden la cabeza en el mar y se la pisan atrapándola contra el fondo, sin dejarle subir, hasta que Isidro ya no escucha las burbujas saliendo de su nariz, sino el fino crujido de la arena contra su cráneo, hasta que no puede luchar porque le faltan las fuerzas, la impotencia le hace abrir la boca y su garganta y sus pulmones se llenan de frustración, de lodo y de sal.

Pablo tiene los músculos largos y fibrosos y corre más que su compañero, gana algo de ventaja y se aleja por la playa. Luciano se queda atrás; las piernas le duelen, le falta el aire y siente esa forma de pánico que anula el entendimiento y nos empuja a asumir la fatalidad y a buscar dentro de ella un resquicio de esperanza, como si fuera posible ver el rostro de la muerte desde detrás de un cristal que nos proteja de su designio. Echa un vistazo a su espalda y ve muy cerca las caras tatuadas de sus perseguidores, le parecen demonios enloquecidos de los que no escapará y a los que no se atreve a enfrentarse; empieza a llorar y percibe una forma hiriente de miedo que no le amenazaba desde la infancia, un horror desvalido, frenético, desbordado de dudas. Se detiene, se arrodilla con los brazos en cruz y, antes de que pueda pedir clemencia, un guerrero lo aniquila de un hachazo en la cabeza.

Pablo corre hasta unas rocas calizas que se amontonan al final de la playa y las sube con desesperación: treinta pies, sesenta pies de escalada, pero los cocomes han jugado allí desde niños y le siguen a distancia. El muchacho llega a lo más alto, una cima plana desde la que se divisa la playa, la inmensidad negra del mar y, por encima de los árboles, en una nefasta evocación, la pirámide en la que mataron a sus compañeros. Tiene que parar, delante de él solo hay un acantilado. Los mayas llegan a la cima y se detienen con presunción, conocen el terreno y saben que Pablo ya no tiene dónde huir. El joven los mira sin miedo y luego mira el acantilado. Abajo todo le parece diminuto y tranquilo. Sonríe un instante y dice:

—Que el buen Dios me perdone.

Y salta.

Los mayas, que entienden el suicidio como un acto de honor, una demostración de generosidad con los dioses reservada a los hombres más esclarecidos, se acercan al borde del acantilado y contemplan con extrañeza y respeto al joven hombre blanco, muerto sobre el rompiente, abrazado para siempre a la libertad en la certidumbre de su última noche. A su lado, como si no quisiera alejarse de él, flota inseguro su pequeño soldado de madera.

Gonzalo y Jerónimo corren a través de la maleza, en medio de un caos de zumbidos de insectos y de sonidos nocturnos que reverberan entre las hojas. Salvan troncos caídos, raíces con formas de serpientes que afloran de la tierra, madejas de helechos pretéritos, ramas que les obligan a agacharse y a ir a ras del suelo; respiran el aire de un entorno desconocido a bocanadas, como animales esquivos, y avanzan en la penumbra de la selva sin rumbo, igual que si atravesaran un jardín subterráneo. Gonzalo va delante, rompe la maraña de tallos y hojas con la segunda hacha que les quitaron a los guardianes, y Jerónimo le sigue casi a ciegas, en medio de una luz precaria, sin hablar, sin gastar ni un ápice de sus fuerzas en cualquier propósito que no sea correr. No se atreve a preguntarle a su amigo hacia dónde va, ni si tiene algún plan de huida; no quiere oír que no lo sabe. Sienten que los guerreros mayas continúan allí, entre las sombras, en algún lugar a sus espaldas, aunque no sepan dónde se encuentran, ni a qué distancia. Esos hombres se desplazan por la selva en silencio, sin delatar su posición, como los jaguares que presiden sus templos y que dibujan en sus rostros y en sus pechos.

Corren cada vez más cansados y perdidos bajo las estrellas huidizas, que apenas son intermitentes brotes de luz entre las hojas más altas de los árboles. El aire se rompe en sus caras y se enfría cuando se sumergen en las hondonadas llenas de sombras que presagian la cercanía de una laguna o la trampa de un lodazal; Jerónimo ve fugazmente la espalda de Gonzalo, a veces lo pierde un instante y lo sigue por el ruido del hacha contra las ramas o por sus pisadas, y en esos momentos piensa que puede quedarse solo y desarmado, en medio de la selva, a merced de sus perseguidores, y le extraña no sentir pánico, ni siquiera inquietud, mas bien una calma impregnada de melancolía y ensoñaciones, como si se hubiera deshecho de los estigmas del pecado y de la culpa, todo careciera de importancia y estuviera preparado para morir. Pero Gonzalo lo espera cada vez que siente que Jerónimo no le sigue, siempre está ahí para rescatarlo de las tinieblas; un ángel custodio pendiente de que su amigo no se extravíe.

Los dos saben que no importa lo que les haga pensar el agotamiento, ni la necesidad de expiación que puedan albergar sus conciencias; la selva no va a cerrarse tras ellos para esconder su rastro, ni la tierra es una madre dispuesta a guarecerlos en su vientre. Solo deben desaparecer, avanzar un paso más que sus perseguidores, escapar de ellos y frustrar su inveterada ansia de muerte, porque esa es la lógica última de la guerra y de la caza: la habilidad frente a la fuerza, la humillación frente al orgullo; la consumación del desafío.

Mientras, en el poblado, un revuelo de gente va y viene cerca de la choza donde yacen sin vida los dos guardianes; unas mujeres jóvenes lloran a su lado, los niños los miran sin comprender y algunos de los hombres de más edad explican lo sucedido señalando con el dedo el agujero del techo. Nadie consideraba que esos débiles prisioneros poseyeran el suficiente valor para escapar, ni mucho menos el arrojo necesario para acabar con la vida de dos de sus guerreros. Tal vez los dioses no quedaron contentos solo con cuatro muertes y les han permitido huir para castigar su falta de devoción. O quizá esos pálidos extranjeros fueran la encarnación de una nueva estirpe de demonios que se han transformado en espectros para escapar y que habitarán para siempre en la selva.

Francisco de Arroyo, al que los mayas consideran un elegido de los dioses por haber sobrevivido al hacha de Balam, lo observa todo a distancia, de soslayo, cabizbajo, sin expresar ningún sentimiento, mientras susurra para sí:

—Corre, corre, corre.

CINCO

Los dos hombres huyen a través de un cerrado universo de sombras durante toda la noche y, al amanecer, Jerónimo es un cuerpo sin fuerzas que apenas obedece las órdenes de su voluntad, alguien que palpa la certeza de su ruina y ha decidido sacrificarse para salvar la vida de su compañero. Ya no es el joven idealista y confiado que dejó atrás el escenario de su infancia y salió de Écija para dar sentido a su vida, sino su despojo. No hay semejanza entre esta realidad de suelos húmedos y reptiles huidizos y la representación mental de los jardines del edén con la que soñó antes de partir. Ahora, una vez aprendido que el hombre siempre yerra al anticipar la bonanza, echa de menos los días del colegio sacerdotal, cuando estaba a la vez fuera y dentro del mundo, cuando existía a su alrededor un orden divino y ancestral que gobernaba las potencias del alma, las vicisitudes de la carne, el paso del tiempo y hasta el movimiento sutil y oscilante de cada mota de polvo. ¿Adónde ha ido la perfección sublime de aquel orden? ¿A qué parte de la selva? ¿Dónde en este violento hormiguero de vidas extrañas que se han multiplicado de espaldas a la doctrina de la fe? Aquí nada vale más que su sombra, nada sugiere la presencia de un sustrato donde germinen las leyes que Dios le dictara a Moisés y que él conserva en su interior tan indelebles como las grabadas en las tablas de la ley.

Pero es cierto que hubo una noche en Castilla; cálida, oscura, confusa, no muy distinta a esta, en la que Jerónimo cambió de opinión y alteró para siempre el rumbo de su vida, ocurrió un día antes de la ceremonia; él tenía prohibido salir del colegio sacerdotal, hacía tiempo que no se le permitía participar en actos sociales, ni siquiera en reuniones familiares, estaba sereno, con el ánimo apaciguado, y su comportamiento resultaba un ejemplo de convicción y de buen sentido, sin embargo algo se rompió dentro de sí, algo secreto que no soportó la dinámica del pensamiento y que lo enfrentó a las certezas más íntimas, a aquellas que se manifiestan en silencio, a las verdades que vemos asentarse con el tiempo en nuestro propio rostro mientras a su alrededor crece el óxido de los espejos; por eso renunció al compromiso sin dudar, en un momento insomne, apaciguado y definitivo. De alguna forma que siempre había sospechado, pero que ahora podía palpar por primera vez, aquella noche le falló a su madre, a su pasado de renuncia y oración, a sus creencias más profundas y también a Dios, que todo lo puede y todo lo sabe, que no habría de dejar semejante falta sin castigo.

—Hace tiempo que no los escucho —dice Gonzalo en un descanso, mientras los dos están sentados en el suelo, detrás de unos inmensos troncos caídos—. Tal vez los hayamos dejado atrás.

Jerónimo intenta recuperar el aliento con la cabeza entre las manos; aunque le gustaría pensar como su amigo, sabe que desde la lejana hora en la que la nao Santa Lucía zarpó del puerto de Santa María la Antigua del Darién, algo en apariencia tan sencillo como sobrevivir se había convertido en una tarea cada vez más ardua, que todo se complicaba todavía más, sobre todo en los peores momentos, cuando pensaban que ya nada podría empeorar. Además hace tiempo que el paisaje le parece cambiante; el suelo se ha reblandecido y la vegetación, antes formada por grandes hojas ciliadas y matorrales con pequeñas flores amarillas, se ha convertido en un laberinto trenzado por una caótica red de tallos quebradizos y de ramas delgadas, como de pámpanos, que cuelgan a centenares de los árboles y tejen una vasta sucesión de cortinas que forman una espesura verde y grisácea, una confusa maraña donde se respira la humedad pútrida que presagia la cercanía de una ciénaga.

—Nos empujan hacia un pantano —dice Jerónimo.

Gonzalo baja la vista y descubre el barro negruzco y resbaladizo en el que se les hunden los pies.

—Debemos alejarnos de aquí. Vamos. Ya descansaremos en un lugar más seguro.

—No puedo seguir, Gonzalo, lo siento. No tengo fuerzas para marchar a tu ritmo. Huye tú. Si estás solo podrás salvarte, yendo los dos no seré más que un lastre para ti. Los despistaré, haré que me sigan en otra dirección para que tú puedas escapar.

—Yo tendré la libertad. ¿Y qué tendrás tú?

—Una silla en el cielo, cerca del padre.

Gonzalo mira a su compañero y ve en la fatiga desolada de su rostro que sus palabras son sinceras. Ya no es el hombre que hizo frente al riesgo de huir de la choza sin dejarse dominar por el miedo, ahora tiene la mirada de la resignación y ve en sus ojos que está dispuesto a morir por él, a dejarse matar para que su amigo tenga una remota posibilidad de sobrevivir. En las campañas militares conoció a otros hombres con actitudes heroicas semejantes, las vio en jóvenes y en veteranos, con independencia de su rango, en aquellos que sorprenden con lo mejor de sí mismos mientras en los demás despierta esa forma ancestral de egoísmo que es el instinto de supervivencia; el recuerdo que conserva de todos aquellos hombres buenos es que eran como Jerónimo: no los más fuertes, ni los más bravos, pero sí los de corazones más generosos.

—No te abandonaré aquí, Jerónimo. Somos parte de un ejército. O de lo poco que queda de él. Moriremos juntos o nos salvaremos juntos. Aunque tenga que arrastrarte.

Gonzalo se incorpora y ayuda a levantarse a Jerónimo tomándolo por los brazos. Al hacerlo, nota la flojedad de su compañero y comprende que no serán capaces de continuar la huida mucho más allá. Jerónimo ha entregado ya cuanto tenía: su valor, su entereza, su convicción, su limpio deseo de proteger a los más jóvenes; ahora es un espíritu abatido, alguien arrastrado por las circunstancias mucho más allá de donde él mismo suponía que podría llegar.

Una vez de pie, antes de que empiecen a caminar, escuchan una flecha rasgar el aire entre ellos y la ven clavarse en un árbol.

—¡Por los clavos de Cristo! —dice Gonzalo mientras hace agacharse a su amigo en un gesto de protección.

—¡Juegan con nosotros!

Y los dos vuelven a correr, Gonzalo otra vez por delante, abriendo camino, desbrozando a hachazos la maleza, y detrás de él Jerónimo, en un esfuerzo inverosímil fruto del pánico, con las piernas entumecidas, insensibles, detrás de su amigo con la misma fe con la que de niño habría seguido a su padre.

Bordean un terreno pantanoso del que emana un hedor de podredumbre antigua y en el que se les hunden los pies mientras a su alrededor saltan docenas de minúsculos sapos; llegan a la orilla de una ciénaga cubierta de nenúfares y lirios de color malva, y durante un trecho la bordean, aun a riesgo de hundirse en el légamo; entran en un regato de agua, entre elevadas hierbas lacustres, y salen del mismo pisando de lado antes de saltar sobre unas piedras para alterar el sentido de sus huellas. Se acercan a un muro de enredaderas parásitas que tapizan una sucesión de viejos sabinos, plantados juntos como por encantamiento antes de que aparecieran allí los primeros hombres; suben por unas rocas nacaradas y resbaladizas que son elevaciones calcáreas sobre las que se encharcan las humedades de los amaneceres y los orines de mono; y caminan junto a un vertiginoso agujero en la tierra en cuyo fondo discurre un riachuelo que, desde su altura, se asemeja a una diminuta culebra de plata.

Los dos hombres miran al interior del abismo y asumen el peligro de descender hacia aquella recóndita penumbra;

saben que sus perseguidores andan cerca y que no tendrán ninguna esperanza de escapar si no arriesgan sus vidas.

Bajan a grandes zancadas por la ladera, resbalan sobre largos tallos de hierba y levantan la tierra húmeda en la que medran las lombrices; se hieren con las ramas, las raíces astilladas y las púas de las zarzas, hasta que pierden pie y ruedan como fardos por un despeñadero colmado de vegetación que los precipita al cauce del riachuelo, que es en realidad un estrecho venero, sinuoso y alargado, de apenas cuatro palmos de profundidad.

Tras el impacto, Gonzalo se incorpora y levanta la vista: los mayas les observan desde lo alto, indecisos, sin atreverse a bajar, como si aquel lugar les inspirara temor. Pero Balam, que al principio ha dudado igual que todos sus hombres, empieza a bajar la ladera por otra pendiente menos pronunciada que, de momento, lo aleja de su objetivo; al verlo, sus hombres, vacilantes y llenos de dudas, aunque incapaces de desobedecer, descienden tras él. Quieren alcanzarlos, pero ninguno parece dispuesto a tirarse ladera abajo hasta el agua por el camino más corto, como esos intrusos.

Gonzalo estudia el recorrido que espera a los mayas a través de la pared larga del cortado; no es un tramo fácil y calcula que todavía tardarán algo más de media hora en llegar hasta el lugar donde ellos han caído. Si salen de allí con esa ventaja, tal vez puedan salvarse.

Pero Jerónimo se ha roto una pierna contra las rocas. Está tendido en el lecho del río, a punto de desmayarse por el dolor, sangra por la herida, boca abajo, con la cabeza todavía bajo el agua; intenta incorporarse, pero no puede.

Gonzalo va hacia él, y tomándolo por los brazos lo saca con cuidado del agua, comprueba que aún respira, lo levanta como si fuera un niño y se lo echa al hombro sin apenas dificultad, cruza el venero con tres grandes zancadas y ante la expresión de sorpresa de los mayas, sale corriendo por el lado opuesto como si solo hubieran tropezado.

Los mayas se dirigen miradas de recelo entre ellos, guardan silencio y siguen a Balam ladera abajo en su obsesiva persecución, pues la disciplina que han aprendido de sus mayores no les permite comentar nada al jefe de guerreros, ni mucho menos sugerir que deberían abandonar la persecución; todos en el grupo empiezan a creer que están intentando dar caza a un coloso, o a un demonio, que ese extranjero que vino del mar no es del todo humano y su cercanía puede traerles la desgracia. Balam sospecha lo mismo que sus hombres, pero sigue adelante porque no quiere renunciar al honor de capturarlos; esa forma creciente de dificultad se ha convertido en un acicate para su orgullo.

Sin volver la vista, sin ofrecer a su enemigo ni siquiera un atisbo de flaqueza, Gonzalo sale de la inmensa caverna por una grieta en una pared lateral a través de la cual ha intuido un trozo de cielo escondido entre la maleza. Deja atrás la arboleda y desciende durante algo más de una hora por un amplio aluvión, tan deprisa como le permiten sus piernas, hacia un terreno húmedo y liso que discurre junto a una ensenada.

Levanta los ojos y contempla ante sí, entre arbustos acuáticos, miles de flamencos de plumas rosadas que deslizan el pico sobre la superficie del agua y casi al unísono, contagiándose el gesto los unos a los otros, despliegan las alas con una pereza elegante. Camina sobre un inmenso pastizal en cuyo fondo puede entrever el resplandor dorado e intermitente del agua y piensa que en otras condiciones, si no estuvieran huyendo y luchando por salvar sus vidas, si tuviera tiempo para respirar con calma el aire que ahora empieza a faltarle, este diáfano paisaje preñado de sol y de calma le parecería hermoso, que estas selvas, las playas de arena blanca, los humedales y los pájaros que cruzan el cielo por encima de sus cabezas, le harían pensar que ha descubierto el paraíso.

Media legua más adelante, el suelo se vuelve una húmeda alfombra vegetal y a cada paso los pies se hunden en ella. Resbala con frecuencia, le duelen los tobillos y le cuesta correr. Avanza con el peso de Jerónimo sobre los hombros todo lo deprisa que le permiten sus piernas; sabe que si los mayas le dan alcance, morirán. Tiene la dolorosa impresión de que huye sin sentido, que se cumplirá el delirante anuncio de la desgracia que les profetizara Ángel de Santacruz en el batel, pues desde ese momento crepuscular su presagio de muerte y devastación no ha dejado de hacerse realidad. Sabe, porque ha escuchado más anuncios de infortunios de los que le gustaría recordar, que a veces Dios les revela a los locos la verdad y permite que los cuerdos la oigan de sus bocas, y que en esas raras ocasiones los locos hablan con el desparpajo de los cuerdos y estos se tapan los oídos para no escucharlos.

Si no los deja atrás, si sus perseguidores no abandonan su acoso y les dan alcance, matará a Jerónimo antes de que recupere el sentido, le dará un fuerte golpe de hacha en la nuca que acabe con su vida sin sufrimiento. Dios le perdonará ese pecado; no está dispuesto a permitir que hagan con él la misma atrocidad que hicieron con Valdivia y con los otros. Luego se enfrentará a ellos, si es posible a su cabecilla y en una lucha a muerte, para que su final no sea el de una presa que huye, sino el de un soldado.

Tras varias horas de camino, sus pasos le conducen a un claro de tierra firme de forma casi rectangular, como si allí se hubieran talado los árboles con alguna intención concreta hace mucho tiempo. Reina un silencio estremecedor; solo siente el chapoteo de sus pies sobre la tierra húmeda y su respiración, cada vez más apurada y más propicia a un final amargo y sin sentido. El sol es una mancha borrosa detrás de las nubes altas, huele con intensidad a salitre y sopla un viento templado y acuoso desde el sur que presagia la llegada de las lluvias. Gonzalo está exhausto, desconcertado, casi perdido en la trama de los sueños, pero encuentra las fuerzas para avanzar un poco más hacia el Sur, por encima de ese engañoso mundo en calma y de su blando reflejo.

—Tendré que matarte, amigo mío —murmura doliente—, tendré que matarte si nos alcanzan.

Y da un paso más. Y otro más corto. Y aunque se resiste asume que todo cuanto le sucede al hombre tiene un fin, no solo el tiempo de dicha, sino también el ansia, el dolor, el hambre del corazón y las ganas de vivir.

—Bájame al suelo, Gonzalo —le dice su amigo cuando recupera el conocimiento—, no gastes más tus fuerzas.

—Tienes una pierna rota. Si vamos a tu paso nos alcanzarán.

—Bájame, Gonzalo, ya nos han alcanzado, mira a tu espalda.

Gonzalo se detiene, se gira y ve al grupo de guerreros en el claro. Están tan cerca que ya podrían alcanzarlos con una flecha. Contempla en sus caras la mezquina suficiencia de la victoria, la misma falta de piedad que tuvo él cuando derrotaron a los franceses en la batalla de Garellano y los persiguieron para matarlos y la misma que mantuvo cuando encerraron a aquellos jóvenes soldados en la cabaña y los quemaron vivos. Gonzalo percibe la posibilidad de una expiación para aquella falta y coloca a Jerónimo con cuidado en el suelo, que se apoya en él y en su única pierna sana para no perder el equilibrio.

—No quiero que me saquen el corazón, Gonzalo.

—No lo harán.

—Júralo.

—Te doy mi palabra.

—Sabes lo que significa, ¿verdad?

—No nos cogerán vivos.

Jerónimo y Gonzalo se abrazan en un gesto de despedida. Mientras Jerónimo se aferra a él y cierra los ojos, Gonzalo afianza el hacha entre sus dedos y la levanta para acabar con la vida de su amigo; le repugna lo que está a punto de hacer, pero siente cierta calma, la certeza de una ruina que es como una última aflicción, igual que si hubiese caído en el campo de batalla y supiera que sus heridas no pueden sanar.

Antes de ejecutar el golpe algo llama su atención en el lado opuesto del claro. Baja el arma y hace que su amigo mire hacia allí.

Los dos hombres pueden ver el motivo por el que sus perseguidores no les han atacado todavía: otro grupo de guerreros mayas, mucho más numeroso que el suyo, ha penetrado en el claro por el lado contrario. Son al menos veinte hombres armados con arcos, hachas, lanzas y escudos, y están ataviados con plumas y pinturas de guerra. Llevan consigo, atados de pies y manos y unidos por el cuello, una columna de cinco prisioneros.

—Se vigilan —dice Gonzalo—, no parecen amigos. Ni siquiera portan el mismo tipo de adornos.

Jerónimo también percibe la tensión entre ambos grupos y pregunta:

—¿Qué habría hecho en esta situación el Gran Capitán?

—Ojalá me fuera dado saberlo.

—Decide entonces. Ahora tú eres el Gran Capitán.

Gonzalo mira a uno y otro lado; es posible que cualquier decisión los lleve al mismo fin, a esperar una idéntica forma de muerte; es posible que en alguna parte del infierno se haya dictado una sentencia irrevocable contra ellos y nada de lo que hagan les conduzca a la salvación, pero después de tanto esfuerzo no está dispuesto a aceptar sin más su derrota; toma aire y empieza a caminar ayudando a Jerónimo hacia el grupo más numeroso.

Al ver que se alejan, Balam y los suyos se adelantan unos pasos, pero mantienen una prudente distancia.

El cabecilla del nuevo grupo, un hombre fuerte y orgulloso al que llaman Kinich, el rostro del sol, sale del grupo con su lanza emplumada en la mano y llega hasta los españoles, que se detienen ante él. Gonzalo agacha su cabeza en señal de respeto, toma su hacha por el filo y se la ofrece a Kinich.

Kinich, que es el nacom, o jefe de guerreros, los mira inexpresivo, sin juzgarlos, no ha visto nunca a unos hombres con ese aspecto; tienen pelo en la cara, están sucios y visten harapos, mas su actitud no le inspira desconfianza. Acepta el hacha, los rebasa y camina en solitario hacia Balam y los suyos.

—No avances más, Balam —dice Kinich cuando llega hasta él—. Te encuentras muy lejos de tu territorio.

—Entrégame a esos dos hombres y me iré, Kinich. No queremos luchar con vosotros, pero son nuestros prisioneros. Los hemos perseguido desde la última noche.

—¿Ves a esos que llevo atados conmigo? ¿A los cinco *etzeme*[2]? A eso le llamo yo tener prisioneros. Estos a los que tú persigues todavía andan libres. ¿Y sabes qué es lo que más te debería preocupar? Que andan libres en mi territorio.

—Han matado a dos de los nuestros y merecen un castigo.

—¿Han matado a dos de los vuestros? —se burla Kinich—. ¿Esos dos? En ese caso les perdonaré la vida.

Uno sabe muy bien lo que piensa el otro. Se conocen y se odian desde niños porque sus mayores les enseñaron a ser rivales, porque les repitieron hasta el hartazgo que fuera de su ciudad no existen los amigos, que más allá de las lindes de sus tierras solo se hallan los otros, los diferentes, aquellos con los que combatimos porque quieren robarnos nuestras mujeres y nuestra caza. Sus rostros han cambiado con el paso de los años, se han hecho más duros, más impenetrables, pero no lo suficiente para no poder anticipar su próximo movimiento. Ambos tratan de obtener no una victoria definitiva, ni un escarmiento, sino una muestra pública de respeto. Balam se irrita con la respuesta de Kinich, pero reconoce su impotencia. Son pocos y están muy alejados de su ciudad.

—No te entregaré algo que ahora me pertenece, Balam. Tus antepasados y los míos fijaron hace mucho tiempo los límites de los señoríos y debemos respetarlos. No querría matarte por eso. Regresad en paz a vuestro territorio. No lo tomes como una humillación. Tus hombres comprenderán que te recuerdo una ley que todos conocemos y que tú me harías respetar por la fuerza si fuera yo quien la violase.

—Esto no quedará así.

---

2 Pintados de color granate.

—Aquieta tu lengua y márchate con tu gente. No estás en situación de amenazarme.

Balam echa una última mirada cargada de resentimiento a Gonzalo y a Jerónimo, que se han detenido junto al otro grupo de mayas, y ordena a sus hombres retroceder.

Kinich vigila su lenta retirada hasta que el último de los cocomes sale del claro. Luego regresa con los suyos y hace un gesto a dos de sus guerreros para que transporten entre ellos a Jerónimo, que sangra por la pierna y está a punto de volver a perder el conocimiento. No ordena que aten a Gonzalo y le permite caminar junto a ellos.

Tras medio día de camino a través de tierras pantanosas llegan a las afueras de la ciudad de Chactemal, al mercado de esclavos, un sucio recinto cercado, una cochiquera en la que muchos hombres y algunos niños vagan sin rumbo, como espectros, antes de ser adquiridos o despreciados. Aquellos con más suerte trabajarán para sus nuevos dueños durante el resto de sus vidas, los otros darán carne y sentido a los sacrificios humanos del próximo cambio de estación. Los cinco prisioneros mayas, Gonzalo y Jerónimo, que apenas se sostiene en pie, han sido puestos en formación. Kinich, acompañado por un traficante de esclavos gordo, sudoroso y de torpes movimientos, tan corpulento que debe balancearse a uno y otro lado para no perder el equilibrio al caminar, los inspeccionan.

Gonzalo es más alto y fuerte que cualquiera en ese pueblo, incluso que Kinich, y llama la atención del esclavista; le mira a los ojos verdes y se extraña de que alguien los tenga del color de la selva, toca sus músculos, estudia sus dientes y le tira de la barba; al hacerlo, Gonzalo se muestra hostil y gira su cara hacia un lado.

—Tiene mal carácter. Cien semillas de cacao por el barbado alto. Ochenta por cada uno de los *etzeme*.

—Son buenos guerreros de Uaymil —dice Kinich—, jóvenes y sanos. Ofreces muy poco. Dame cien por cada uno. Es el precio habitual.

El traficante lo ignora y mira a Jerónimo.

—Y nada por este —dice enfadado—. ¿Acaso quieres engañarme?

—El barbado alto vale por lo menos doscientas semillas de cacao —replica Kinich.

—Ya veo que es muy fuerte, con manos grandes y unos brazos vigorosos, me parece justo que quieras hacer un buen negocio a su costa, aunque ningún hombre sobre la tierra vale doscientas semillas. Ni siquiera alguien como él.

—De acuerdo —afirma Kinich contrariado—. No voy a regatear contigo. Llévate a los cinco de Uaymil. Nosotros nos quedaremos con los extranjeros.

Al esclavista le agrada el acuerdo, que era el mismo que había decidido de antemano; no se encontraría cómodo llevando consigo a un hombre con el color de la selva en los ojos. Saca cuatro pequeños saquillos con cien semillas de cacao cada uno y se los entrega a Kinich.

—Viejo tramposo. Sabías lo que me ibas a pagar antes de que regateáramos.

—Ambos hacemos un buen trato, Kinich, no te enojes conmigo. Las personas, del mismo modo que las cosas, no valen lo que suponemos, sino lo que nos pagan por ellas. El señorío de Uaymil está en decadencia, con sus ciudades abandonadas, no te resultará difícil conseguir más esclavos para vender. Avísame en cuanto los tengas y si pides por ellos un precio razonable. Y cuídate de ese barbado, te pondrá en aprietos, no resultará fácil someterlo.

Kinich comprueba el contenido, lo cuenta y engancha los saquillos a su cintura. Mientras el esclavista y sus hombres se llevan fuera de la ciudad a los cinco de Uaymil, Kinich se dirige a uno de sus guerreros:

—Llevad al alto como un presente mío a la casa grande.

Después mira a Jerónimo.

—Y a ese ponedlo con mis esclavos. Que le den de comer y le curen la pierna. Si no muere, que lo lleven a las tierras altas en cuanto pueda trabajar.

Antes de que los separen, Gonzalo toma del brazo a Jerónimo.

—Procura reponerte —le dice—. Te iré a buscar y escaparemos de esa maldición.

—Te debo la vida, amigo mío. Solo no lo habría conseguido. Estaba convencido de que moriríamos. En el claro de la selva tomaste la decisión más adecuada.

—¿Cómo el Gran Capitán?

—Como el Gran Capitán.

—Te dije que éramos un ejército; nos educaron para esforzarnos, no para rendirnos; es lo que hemos hecho y hemos sobrevivido.

Jerónimo gira la cabeza y mira a Gonzalo mientras los guerreros de Kinich los separan y los llevan en direcciones opuestas.

—¿Me oyes? —vocea Gonzalo—, ¡hemos sobrevivido!

A la vez que ve alejarse a su amigo, Jerónimo piensa en los treinta y cuatro hombres que zarparon confiados de Santa María la Antigua del Darién para transportar el quinto real a la isla de La Española. Se trataba de una misión sencilla, casi un premio para todos ellos; llevaban la bodega llena de oro y la buena noticia del conocimiento de un nuevo mar Océano que algunos empezaban a llamar del Sur, deseaban llegar al puerto de Santo Domingo para compartir su entusiasmo y disfrutar de un permiso. Ahora recuerda a los que se ahogaron en el naufragio, a los que lucharon contra las olas y no salieron a flote, a los heridos que murieron en el batel, a los que devoraron los tiburones, a los cuatro a los que vio arrancar el corazón en aquella funesta pirámide, al bueno de Rodrigo, que entregó la vida para que ellos pudieran huir, a los cuatro muchachos que perdieron su juventud en la playa…

—Hemos sobrevivido —susurra para sí.

SEIS

Tres guerreros mayas armados con lanzas emplumadas conducen a Gonzalo a la casa grande, un edificio que por su tamaño es el principal del poblado; está situado al final de la calle más ancha y rodeado por una extensa parcela de huertos bien cuidados y árboles frutales. Es una construcción asimétrica, irregular, de una extraña solemnidad desprovista de adornos, con las paredes de troncos entretejidos con cañas y recubiertos de barro, distribuida en una sola planta y pintada de verde, a diferencia de las demás viviendas de la calle, que están pintadas de blanco y apenas se permiten algunas notas de color junto a los accesos.

A cierta distancia, tras la casa grande, se eleva el templo mayor, una gran pirámide oscura, escalonada, impregnada de misterio, no muy distinta a la que vieron en la ciudad de la que habían huido.

Gonzalo es un gigante al lado de sus guardianes; sus cabezas rapadas apenas le llegan a la altura de los hombros. Sabe que podría desarmarlos y huir, que ahora, una vez que ha recuperado las fuerzas, tres hombres de ese tamaño no serían enemigos para un soldado tan entrenado en la lucha cuerpo a cuerpo como él, pero decide esperar; Jerónimo tiene una pierna rota y no podría llevarlo consigo, y en esas condiciones para él no tiene sentido escapar.

Lo empujan con los mástiles de las lanzas y lo introducen en el vestíbulo de la casa grande, una sala rectangular con esteras sobre el suelo cubiertas de hierbas aromáticas y lonas colgadas de una techumbre armada con vigas de madera que dejan pasar una luz amable, tamizada, similar a la de una iglesia; los muros están pintados al fresco, con figuras humanas que portan aparatosos adornos sobre las cabezas y visten pieles de jaguar colgadas de los hombros, que avanzan siempre de perfil hacia otra figura de mayor majestad, un monarca sentado en un trono con un gran penacho verde sobre la cabeza al que todos ofrecen presentes; algunas de esas figuras tocan instrumentos musicales de viento, otras sonríen, se agachan en señal de respeto y le entregan al rey cestas de comida y animales exóticos; a sus pies, en un graderío, hay varios hombres de piel oscura tumbados, casi desnudos, en actitud de descanso.

Gonzalo y los guerreros permanecen durante algún tiempo quietos en esa sala, esperan en un silencio respetuoso, igual que si flotaran en las aguas de un manantial sagrado y cualquier movimiento, incluso cualquier palabra, fuera a violentar un equilibrio secreto y resultara inapropiado. Es un ambiente misterioso, recóndito, casi inviolable, aunque Gonzalo no siente temor.

Sale a recibirlos un criado cenceño que clava su mirada fría y penetrante en el extranjero y habla en voz muy baja con los guerreros de Kinich; después el criado asiente y se marcha. Gonzalo lo observa todo con cierta fascinación, como si viajara hacia el pasado a través de una grieta del tiempo, con la curiosidad de quien contempla por primera vez algo que no comprende, pero que no le resulta amenazador ni desagradable; piensa que aquella casa no es una estancia de muerte, sino un lugar habitado por gente civilizada, atenta al orden y a la estética.

Al rato regresa el sirviente y hace un gesto apresurado para que le sigan. Los guerreros se muestran agradecidos, como si recibieran un gran honor, y hacen marchar a Gonzalo a través de un largo pasillo tapizado de telas bordadas con dibujos geométricos en blanco y verde que desemboca en otra estancia, amplia y descubierta, rodeada de pilastras, un gran patio de planta cuadrada donde hay dos filas de cinco guerreros, una frente a la otra, con los hombres firmes, vigilantes, armados con lanzas emplumadas y unos pequeños escudos. Sitúan a Gonzalo en el centro de la estancia, frente a un gran banco de piedra gris que luce unas amenazadoras cabezas de jaguar talladas en las patas y está cubierto con una tela gruesa y ahuecada, tejida con esmero y colocada a modo de almohadilla.

Gonzalo tiene la impresión de que el tiempo se ha detenido; nadie habla ni se atreve a moverse, como si en esa estancia se venerara el mutismo, o como si todos volvieran a flotar en las aguas del manantial sagrado. Solo rompe el silencio el vuelo efímero de una libélula, la mayor que Gonzalo ha visto nunca, mucho más grande que su mano, que se acerca a un charco de agua frente a él y tras dos rápidas pasadas por su centro sin apenas tocarlo, remonta el vuelo en vertical, hacia la luz.

Aparecen dos ancianos enjutos, casi famélicos, que se colocan de pie detrás del banco de piedra; después cuatro mujeres que se ubican junto a ellos, dos a cada lado, todas muy adornadas con piedras preciosas y vestidas con telas lisas ceñidas al cuerpo. Entre las mujeres destaca una de apenas veinte años, esbelta, de larga melena lisa y negra y con la mirada oblicua, dotada de una elegancia natural, que por su belleza capta la atención de Gonzalo. Es Yxpilotzama, la hija del cacique, al que todos llaman Ach Nachán Kanxiuu, quien entra el último en la sala, despacio, arrastrando los pies, ajeno en su grandeza a la vulgaridad del mundo, a los apremios que aturden a los hombres y al paso del tiempo; va ataviado con una capa glauca bordada con hilos de oro, lleva un cetro en la mano, zarcillos de jade en las orejas, una corona alta, un collar sobre el pecho y brazaletes labrados, todo de oro macizo; viste una túnica blanca, fúlgida, que reluce bajo la luz del patio como un espejo puesto al sol, y calza vistosas sandalias anudadas en sus tobillos. Todos le temen, porque saben que puede transformarse a su voluntad en un águila, una serpiente o un jaguar, una proeza que nadie ha presenciado en los largos años de su mandato, pero de la que no se permiten dudar. Cuando se detiene, sus guerreros y los criados efectúan una pausada reverencia mientras él se sienta sobre la almohadilla, en el centro del banco de piedra.

Nadie se mueve, el grupo continúa en una quietud absoluta, de la misma forma que si posaran para un pintor que trabajase en uno de los frescos que decoran las paredes. Gonzalo comprende la importancia de la figura que ha entrado, una suerte de rey o de sumo sacerdote, y piensa que es probable que todos los demás estén rezando, o conteniendo la respiración.

—¿Quién es este hombre? —pregunta Nachán al jefe de los guerreros mientras señala a Gonzalo con el cetro.

—Un esclavo, gran amo Ach Nachán. Un regalo para vuestra casa de nuestro señor Kinich. Él y otro barbado más pequeño que venía herido huían de los cocomes de Tulum dentro de nuestro territorio, junto a la ensenada. Es fuerte y os servirá bien.

—¿De Tulum, dices? ¿Todo ese trecho los persiguieron? No es frecuente que los cocomes actúen así, nacieron hijos de la vagancia. Estos que huían deben de ser muy valiosos para ellos, de lo contrario no se habrían adentrado tanto en el territorio de Uaymil; más adelante nos ocuparemos en descubrir por qué. Dad las gracias al buen Kinich de mi parte y decidle lo que ya sabe, que valoro su amistad como tiempo atrás valoré la de su padre.

Ach Nachán se levanta y se acerca con curiosidad a Gonzalo. Al llegar ante él estira el cuello y mira hacia arriba, pues el español supera su estatura en más de dos cabezas. Gonzalo, con una estudiada prudencia, evita cruzar sus ojos con la mirada directa del cacique.

—En efecto es un hombre muy fuerte. No había visto nunca a nadie de su tamaño. Tiempo atrás reparé en un gigante en

Chichén Itzá, un campeón en el juego sagrado de pelota, pero desde luego no era tan grande como este. ¿Cómo te llamas, barbado? ¿De donde vienes todos son tan fuertes como tú?

Gonzalo no entiende la lengua de los mayas y se limita a hacer una reverencia similar a la que ha observado antes a los soldados y los criados. Al verlo, las mujeres se miran entre ellas y no pueden evitar la risa, se rompe la solemnidad del momento y también ríen los ancianos y el propio cacique.

—No sabe hablar —dice Ach Nachán mientras regresa al banco de piedra—, pero al menos parece respetuoso, y no es esa una mala virtud. De momento enviadlo a los telares, que aprenda el oficio, ya decidiremos más adelante su ocupación. Antes lavadlo bien, su olor es insoportable, y alimentadle, es muy probable que tenga hambre. Aceptamos el presente del amable señor Kinich con mucho gusto. Podéis marcharos.

El jefe de los guerreros agradece el gesto de Ach Nachán y ordena la salida de sus hombres. Dos sirvientes toman cada uno por un brazo a Gonzalo y lo conducen al interior de la casa. Antes de salir de la estancia, Gonzalo no evita la tentación de buscar la mirada de Yxpilotzama, pues ha notado que la joven no ha apartado los ojos de él ni un momento. A los sirvientes les resulta insólito que un esclavo se atreva a mirar de frente a su señora, y con un fuerte empujón corrigen su actitud.

Acompañan a Gonzalo hasta una pequeña sala circular rodeada de columnas pulidas que él interpreta como un lavadero; hay un tronco en posición horizontal cuyo centro ha sido excavado y muestra una profunda cavidad llena de agua, tinajas de distintos tamaños y un hatillo de paños limpios que reposa sobre una jofaina de barro. Le hacen gestos para que se desnude y se lave, luego le entregan una túnica blanca, sencilla y sin adornos, una manta corta que debe atarse a la cintura y unas humildes sandalias: el hábito de los esclavos de la casa. Después los criados salen y se sientan a esperarlo en el suelo, junto a un vano sin puerta del que cuelga una tela gruesa a modo de cortina.

Jerónimo, casi inconsciente, está tumbado en una esterilla sobre el piso de lo que le parece un cobertizo o, por la cantidad de madera acumulada, una leñera. A su alrededor se agolpan una docena de hombres mayas que por su aspecto le parecen de distintas procedencias, todos esclavos como él, sentados, tumbados y en cuclillas; algunos tienen el semblante enflaquecido y han perdido el interés no solo por lo que sucede a su alrededor, sino también por su propia vida, otros le observan con descaro y se extrañan de su barba, o se compadecen del mal aspecto de su herida, en la que ha empezado a medrar una húmeda cubierta blanquecina.

Cierra los ojos, y al hacerlo le parece que su existencia se ha convertido en un capricho de la fortuna, se siente igual que un ciego que ha recuperado la vista para perderla de nuevo, un condenado a la oscuridad al que se ha permitido disfrutar de un absurdo paréntesis de luz en medio de una noche perpetua. Luego abre los ojos, se santigua, le ruega a Santa María Virgen su intercesión y pide perdón al Espíritu Santo por la flaqueza de su entendimiento, por haber pecado de soberbia y de avaricia, por haber abandonado Castilla y haberse hecho merecedor de este escarmiento.

Las fiebres le transportan más allá de los confines de la realidad, fuera del incierto paisaje que le rodea, y lo llevan a extraviarse en pensamientos oscuros y reiterativos. Sueña que aún está entre los muros del colegio sacerdotal, que es la hora del paseo y baja los peldaños gastados que dan acceso al claustro, un camino que conoce bien porque lo recorre a diario; cuatro tramos de escalera separados por tres rellanos, todos iguales. No sabe si se encuentra en el segundo rellano, o en el tercero, y desciende a medida que la luz se hace más tenue y la estancia se transforma en un reducto de sombras. Baja otro tramo más, el que intuye el último, pero no encuentra la puerta del claustro, sino un nuevo rellano de paredes desconchadas por la humedad y el suelo agrietado, irregular, surcado de raíces entre las que corren animales diminutos. Siente miedo y no sabe si regresar o acurrucarse en una esquina hasta que pase por allí algún hermano. Sospecha que la escalera posee un acceso a los sótanos del colegio que él no conocía y decide descender un nuevo tramo de escaleras, ya en una oscuridad completa, sin una luz que le sirva de orientación, mientras siente que el suelo desprende calor y escucha unas voces distantes, un rumor de lamentos apagados que le hacen pensar en la cercanía del infierno.

Durante el duermevela percibe cómo se aproxima hasta él, con pasos cortos pero decididos, un hombre de más edad que sus compañeros de encierro. Ha olvidado dónde se halla y ve un anciano encorvado con oficio de sanador que acarrea un odre con agua en una mano y un gran cesto en la otra, del que asoman unas tablillas recias y alargadas, ovillos de cuerdas, un manojo de hierbas silvestres y un escalpelo de pedernal macizo. El hombre se sienta a su lado y señala la herida. Jerónimo está reticente y se separa un poco. El anciano, con amabilidad, insiste en ver la herida y murmura unas palabras en tono afectuoso que Jerónimo no entiende.

El recién llegado le enseña su instrumental y Jerónimo asume que pretende curarle; aunque siente miedo, intuye que no debe impedirlo, sabe que, si nadie hace nada por esa herida, en unos días estará gangrenada.

Es una herida abierta, anfractuosa, cubierta de sangre seca, con los bordes ennegrecidos y masas carnosas en sus márgenes entre los que asoma la blancura primordial de un hueso astillado.

El hombre manipula la pierna con la hábil delicadeza de quien domina su oficio, apoya el pie de Jerónimo sobre su propio muslo y vierte abundante agua en la herida para lavarla. El agua fluye sobre la cavidad y se torna pardusca al arrastrar a su paso granos de arena, polvo adherido y pequeños coágulos de sangre que siembran el suelo de motas púrpura. Después hace una bola con las hierbas, la sumerge en agua limpia, la escurre apretándola como lo haría con una esponja y restriega con ella la herida. Jerónimo tiene la sensación de que le clavaran cientos de agujas en su carne, que le arrancaran tiras de piel, pero aprieta los dientes, cierra los ojos y deja hacer su tarea al sanador.

Cuando la herida está limpia, con la ayuda del escalpelo, el anciano retira las esquirlas de hueso, desbrida los bordes de la herida para que aflore el tejido sano y luego vuelve a lavarla. Por último, la seca, aproxima los márgenes y la venda con unos paños delgados, casi transparentes. Coloca dos tablillas a los lados de la pierna y otras dos delante y detrás y las une con unos pasadores transversales que fija con cuerdas. Cuando termina, la herida está limpia y la pierna inmovilizada.

Mientras el sanador recoge su instrumental, Jerónimo le roza en el hombro e inclina la cabeza en gesto de agradecimiento. El anciano le devuelve una sonrisa exenta de compromiso, se levanta, le indica con sus manos que no apoye la pierna en el suelo y se marcha.

SIETE

Al principio todo estaba oculto, en las tinieblas, y hasta la llegada de los Engendradores, las cosas existían, pero no se manifestaban. El Maestro Mago del Alba, el Gran Tapir, los Dominadores, los Poderosos del Cielo, los Espíritus de los Lagos, los Espíritus del Mar, los del Jade Verde, los de la Verde Copa; ellos fueron quienes las iluminaron.

Cuando no había hombres ni animales, ni hierba ni selva, mucho antes de que apareciera la tierra que pisamos, cuando el mundo era de agua y solo existía un mar tranquilo e ilimitado, los Engendradores midieron los ángulos del cielo y del mundo y pensaron en toda la vida que vendría después. Hasta ese momento solo hubo silencio, mas los Engendradores decidieron romperlo con su palabra. Fueron constructores, madres, formadores; inventaron la respiración, las palpitaciones y la luz, porque hasta entonces todo era invisible.

Y la palabra fue dicha por los Dioses más poderosos del cielo, los Maestros Gigantes del Relámpago, que celebraron un consejo en medio de las tinieblas y unieron sus sabidurías. «Que el agua se parta» —dijeron, y del fondo del mar surgió la tierra y se elevaron los montes y entre ellos se hundieron las llanuras y se abrieron camino los ríos, luego crecieron los árboles y las otras plantas más pequeñas que formaron las selvas, que se llenaron de muchos tipos de animales, y mandaron a los venados caminar a cuatro patas por las barrancas y entre los matorrales y a los pájaros anidar sobre los árboles. Por encima de sus cabezas movieron los vientos e hicieron nacer la niebla, las altas nubes, el sol, la luna y las estrellas.

«Que nazca el hombre» —dijeron después, y dieron forma al hombre amasándolo en barro. De la tierra húmeda hicieron carne. Pero aquel hombre hecho de barro resultó ser demasiado débil, no caminaba, ni siquiera podía sostenerse de pie, la cabeza no se movía, estaba siempre de lado, y cuando llovía el barro se ablandaba y se fundía; por eso los Dioses celebraron otro consejo y decidieron hacerlo de nuevo, esta vez de madera.

Después los Dioses del Cielo lo miraron todo y estuvieron complacidos; su creación era buena y hermosa. Se preguntaron qué podrían hacer para tener adoradores, que siempre hubiera quien los invocase, reconociera su poder, los conmemorara y les ofreciera sacrificios, pues si ellos lo habían creado todo de la nada, sería justo que esa creación mostrara su agradecimiento; entonces le concedieron al hombre la capacidad de tener muchos hijos semejantes a él, también de madera, que en unos años poblaron las costas y la selva. Así vivieron y engendraron, y por eso existió esa primera humanidad sobre la superficie de la tierra.

Pero la madera no piensa, y los hombres de madera se multiplicaban con desorden, no tenían inteligencia, ni ingenio, ni memoria. No hacían nada de provecho. Solo caminaban, de un lado a otro, sin objeto. No sabían nada de sus creadores y no los adoraban.

Por eso los Dioses del Cielo mandaron la gran inundación, para que el agua se llevara al inframundo a aquellos ingratos hombres de madera, y por eso ordenaron que lloviera muchos días y muchas noches sobre sus cabezas y que cuando se reblandecieran el Cavador de Rostros les arrancara los ojos, el Brujo Pavo se comiera su carne y el Murciélago de la Muerte les cortara la cabeza. Al final, cuando cesó aquella gran lluvia que anegó la tierra, casi todos los hombres de madera fueron triturados y pulverizados; los pocos que se salvaron al subir a los árboles de la selva fueron condenados a que les brotara pelo, a que les salieran grandes colmillos y a convertirse en los antepasados de los monos. Por eso se asemeja el hombre al mono, porque los monos que existen ahora son la posteridad de aquellos hombres de madera.

Los Dioses volvieron a reunirse, discutieron, deliberaron y por tercera vez pensaron al hombre. Hasta ese momento, su existencia les había decepcionado: el hombre de barro era demasiado débil; el hombre de madera no podía pensar. Cambiarían su esbozo, el hombre nuevo sería parecido a ellos. Por eso le dijeron al zorro, al coyote, a la cotorra y al cuervo que trajeran muchas mazorcas; cuando lo hubieron hecho añadieron a la madera maíz amarillo para crear la carne y maíz rojo para la sangre, así lo que era alimento se hizo músculos y grasa, y esos nuevos hombres hechos de madera y de maíz fueron instruidos y dotados de inteligencia y de memoria, para que supieran quién los había creado y a quién debían adorar.

Al principio crearon cuatro varones: el Brujo Nocturno, el Brujo Envolvedor, el Guarda Botín y el Brujo Lunar, que no tuvieron padres ni madres, solo fueron creados a imagen y semejanza de los Dioses, ellos lo conocían todo y lo veían todo, lo grande y lo pequeño, y por eso irritaron a los Dioses, pues eran demasiado poderosos, y por eso los llamaron y les petrificaron los ojos con su aliento para que vieran solo lo cercano y les mermaron la sabiduría y la ciencia para que no compartieran con sus creadores todos los conocimientos del mundo.

En su generosidad infinita, los Dioses quisieron que los hombres tuvieran alegres los corazones y que se reprodujeran, para que fueran muchos los que los adoraran, por eso les dieron cuatro mujeres muy hermosas, una a cada uno de ellos, que despertaron aquella noche a su lado; de esos cuatro hombres y de sus cuatro mujeres descendemos todos nosotros.

—¿Lo has comprendido? —pregunta Zinac.

Gonzalo mira al anciano, que es un hombre sereno, lleno de humanidad, con una expresión amable dibujada por profundas arrugas, desprovisto de la altivez que sustituye a la vanidad con el paso de los años. Luego vuelve a mirar las pinturas de la pared, un conjunto caótico, pero espléndido, y aunque todavía no domina la lengua de los mayas, afirma con la cabeza, porque los hermosos dibujos que tiene ante sí reproducen lo mismos conceptos fugaces que ha entendido de las palabras de Zinac. La gran serpiente emplumada debe de ser uno de los dioses del cielo, tal vez el más poderoso, y las dos grandes figuras que modelan una blanda silueta de barro, esos Engendradores que dieron forma al ser humano. De cualquier modo, la historia que cuenta Zinac de la creación no le resulta muy distinta de la que oyó durante la niñez en boca de los curas, Dios también formó a Adán con barro del suelo, y si más adelante castigó al hombre en tiempos de Noé con un diluvio que duró cuarenta días y cuarenta noches, no le parece extraño que la lluvia alcanzara las Indias Occidentales y toda la Tierra. Gonzalo alumbra la posibilidad de que en el mundo haya lugar para más de una verdad, que toda la belleza que tiene ante sí pueda cobrar vida en su interior, que pueda vibrar en su seno del mismo modo que lo hace en Zinac y producir en él una verdad nueva, más amplia y generosa que la que ya conocía.

Zinac, cada día desde hace tres meses, conduce a Gonzalo desde el dormitorio de los esclavos hasta el telar en el que trabaja. El telar está situado en una gran sala en la que doce esclavos, hombres y mujeres, se sientan en el suelo formando un círculo en cuyo centro se agolpan muchas telas gruesas de distintos colores, con predominio de tonos vivos: rojo bermellón, azul celeste, amarillos, verde esmeralda; con ellas tejen fundas, sacos, escudillas y sobre todo esteras, que luego extienden en los suelos como alfombras y cuelgan en los techos y en las paredes. Los hombres trabajan las telas más grandes y pesadas; las mujeres hacen los bordados y cosen las plumas y las piezas pequeñas.

Laboran en silencio, en una actitud de rigurosa obediencia y respeto a los superiores con la que Gonzalo, después de tantos años en el ejército, no se encuentra incómodo. Los hombres hacen breves comentarios al capataz, siempre respecto al trabajo, pero las mujeres no se atreven siquiera a levantar la vista para mirar a sus compañeros, solo se permiten fugaces gestos de complicidad entre ellas, casi siempre para compartir una breve sonrisa. ¿Qué pensarán de él esas personas? Su aspecto lo hace muy diferente. A veces sorprende a otro esclavo observándole; las miradas se cruzan un momento, el tiempo justo para bajar la cabeza y proseguir con el trabajo, porque nadie le dirige la palabra, solo Zinac, y no tiene más noticia que las suyas de lo que sucede en la ciudad.

Gonzalo le pregunta por Jerónimo todos los días, en el camino hacia el telar, o cuando se quedan solos en el descanso tras la comida. Zinac no le contesta, o se encoge de hombros, como si la suerte de su amigo perteneciera ya a otro orden de prioridades o fuera mejor para todos que lo olvidara.

A veces Zinac le habla de los tres espíritus que forman el corazón del cielo, que a Gonzalo le hacen pensar en la Santísima Trinidad; de un extraño dios cuyo nombre es Pequeño Brujo, de otro al que se refiere como Maestro Simio o de un guacamayo al que llama Principal que guarda bajo las alas muchas piedras preciosas, sin que Gonzalo entienda para qué acumula piedras preciosas un pájaro, ni qué utilidad tiene para él algo que solo posee valor entre los hombres. Otras veces, cuando comete algún error, el anciano calla y le castiga con su silencio, como si su verdadero propósito fuera instruirle en una única dirección, en aquella que él considera correcta. Zinac se ha convertido en su única ventana al mundo; su percepción de la naturaleza le parece la de un hombre peculiar, alguien obsesionado con una verdad fabulosa, de apariencia incuestionable, una verdad revelada que le repite a diario, igual que si formara parte de un todo, aunque solo se haya manifestado en esa parte de la selva. Sin embargo, Zinac le resulta digno de respeto. El anciano carece de cualquier interés por acumular bienes, apenas posee una túnica y unas sandalias, come muy poco y a menudo se encierra en largas meditaciones, como si rezara; le recuerda a aquellos monjes penitentes que en su infancia le parecían heridos por la luz de la verdad, tocados por Dios, que irradiaban una forma de convicción que los hacía admirables.

Una vez que concluyen su larga jornada de trabajo caminan en respetuoso silencio, uno tras otro, sumidos en la penumbra de los largos pasillos de la casa grande. A Gonzalo no le disgusta la paz que se respira en la casa, ni la prudencia de sus habitantes, ni su estricto sentido del orden. Aunque está sumido en un pozo de incertidumbres, la mayor de todas ellas no saber nada de Jerónimo, esa nueva forma de vida le proporciona cierta calma.

Una tarde que no difiere en nada de las otras, porque los mayas no dividen el tiempo en semanas ni tienen días de descanso, una tarde que es tan cálida y húmeda como todas desde que Gonzalo llegó a Chactemal, Zinac lo acompaña a través de una parte de la casa grande que no conoce, una pieza atravesada por pasillos anchos y polvorientos, mal iluminada y con las estancias más pobres, en cuyos rincones se amontona una suciedad de años y hay trazas de mohos, pequeñas espigas silvestres que sobreviven sin luz y sin agua y desvaídas telas de araña que difuminan los ángulos de las paredes.

Avanzan por un corredor a través de un aire espeso y perezoso en el que flotan millares de diminutas partículas de polvo y donde el olor evoca a Gonzalo el taller que poseía su padre en Palos de la Frontera.

—Me has dicho alguna vez —dice Zinac mientras se acercan al fondo del corredor— que en tu juventud fuiste carpintero, que aprendiste de tu padre el oficio de trabajar la madera.

Antes de que Gonzalo conteste, el anciano le muestra un pequeño taller de carpintería. Gonzalo sonríe, siente curiosidad y se detiene frente a la entrada, sin atreverse a pasar; Zinac se alegra por el interés de su protegido, extiende el brazo, retira del todo la cortina y le invita a hacerlo. Gonzalo penetra en un ambiente que le resulta agradable y familiar; respira el intenso olor a la madera verde recién cortada y al polvo de serrín que se acumula en los rincones; mira los trabajos terminados en los estantes, después se atreve a coger una tabla y pasa la mano sobre ella, muy despacio, como si la acariciara. Toca los bordes, bien rematados y lijados con esmero, y reconoce el trabajo de un buen artesano.

Zinac también sonríe, y de un mueble caótico y lleno de herramientas saca un mazo con cabeza de piedra, una placa rugosa, como de lija, y un cincel de obsidiana, luego rebusca sobre una mesa y le da una tabla gruesa rectangular y otras cuatro más pequeñas y alargadas.

—¿Eres capaz de hacer un banquillo? —le pregunta mientras lo dibuja en el aire con gestos—. Uno en el que quepamos los dos, así no nos sentaremos en el suelo al tejer.

Gonzalo acepta el encargo, que entiende como una prueba de confianza que no puede defraudar. Un par de días más tarde ha construido un pequeño banquillo de factura sólida y elegante. Incluso ha tallado con una punta de obsidiana un motivo vegetal que decora el asiento.

—Trabajas muy bien la madera —dice Zinac sentándose en el banquillo—. Es muy cómodo. Ya lo creo que sí. Tu sitio no está en los telares. Hablaré con el capataz y le pediré que te cambie de empleo, pero necesito que me ayudes: ¿Puedes fabricar otras cosas de utilidad?

Gonzalo ha advertido que los mayas no emplean la rueda, que acarrean los bultos de uno a otro lado sobre sus hombros y cuando se trata de cargas pesadas se valen para ello de esclavos que las arrastran sobre rodillos hechos con troncos pelados.

—He visto que algunos juguetes poseen pequeñas ruedas para desplazarlos, podría construir un transporte para Ach Nachán con ruedas de mayor tamaño.

—Eso que dices ofendería a los dioses.

—No entiendo tal ofensa.

—Ellos son nuestro ejemplo, y se desplazan entre el sol y las estrellas sin ayudas.

Mira a su alrededor y ve cajones, estanterías, máscaras, discos solares...

—Podría hacer un buen escudo.

Gonzalo ha observado la debilidad de los escudos mayas, que ellos llaman yahuales, hechos con bastas marañas de hilos y fibras entretejidas; muy ligeros, buenos para manejarlos en la carrera, pero inútiles ante una maza pesada, una espada de acero o una flecha lanzada por una ballesta. Podría construir uno armándolo con una trama de listones de madera que solo dejara pequeños agujeros por donde pasen los hilos de refuerzo, luego lo forraría con fibras trenzadas y le daría una forma ovalada, como la adarga española. Por detrás, para permitir su agarre, le colocaría una fuerte enarma de cuero.

—¿Un escudo? No se me habría ocurrido. Adelante. Haz uno. Me parece una buena idea. En pago te enseñaré los secretos de nuestra lengua, hay mucha luz en ti y no tardaras en aprender a hablar bien como nosotros.

Al cabo de unos días, durante un descanso en el trabajo, Zinac permite a Gonzalo salir al jardín trasero de la casa grande para probar el primer escudo que ha fabricado enfrentándose en combate amistoso a otros esclavos. Dos jóvenes de Cochuah armados con lanzas tienen que atacar a Gonzalo, que se protege solo con su escudo y un palo romo de sección circular no más largo que un espadín. Los jóvenes se miran entre ellos como si fueran a cometer un abuso y miran después a Zinac, sentado impasible en su banquillo, preparado para ordenar que se inicie el combate.

No muy lejos de allí, el cacique Ach Nachán, acompañado por el principal de los ancianos del consejo, su esposa y su hija Yxpilotzama, pasean por los jardines. Caminan despacio, con el ritmo pausado de quienes disfrutan de su tranquilidad y solo pretenden consumir el tiempo, porque no van a ninguna parte.

—Mirad —dice el anciano señalando en la distancia a Gonzalo y sus dos oponentes a punto de iniciar el combate—. Puede que nos ofrezcan un buen entretenimiento.

—Dos contra uno —dice Ach Nachán—. Qué osado.

Los cuatro sienten curiosidad y se detienen para observar de lejos el combate.

Zinac alerta a los contendientes para que estén preparados y, cuando tiene su atención, da la voz de inicio.

—¡Adelante!

Los jóvenes mayas se miran con suficiencia, invitándose a derrotar al fatuo extranjero sin la ayuda del otro. Uno amaga con la lanza mientras se mueve de lado y abre el ángulo contrario para que ataque por allí su compañero. Es una maniobra habitual para ellos, un gesto bien estudiado que siempre surte efecto ante alguien sin experiencia en el combate cuerpo a cuerpo. Mas Gonzalo creció entre soldados, ha sobrevivido a cientos de batallas, y no responde al ataque de quien amaga, sino que se abalanza contra el que espera, le golpea con el palo en la lanza y cuando la baja, le pega con el escudo en la cabeza. El muchacho cae al suelo aturdido y Gonzalo gira en redondo y se sitúa muy cerca del otro contendiente, que no tiene espacio para atacar con la lanza y retrocede con apuro, tropieza y cae de espaldas. Gonzalo pone una de las puntas del escudo sobre su cuello y mira a Zinac, que casi sin tiempo para reaccionar y a punto de reír detiene el combate.

—Es suficiente, es suficiente —dice Zinac.

—El escudo también es un arma de ataque —dice Gonzalo, que deja el palo y el escudo en el suelo y ayuda a los hombres a levantarse—. Con vuestros yahuales no podíais atacar, pero con éste, sí.

Nadie se atreve a hablar. Todo ha sucedido muy deprisa y los dos muchachos se retiran avergonzados del campo con la convicción de que no han combatido contra un enemigo normal, sino contra alguien tocado por los dioses, piensan que si hubieran intercambiado las armas, si ellos hubiesen tenido dos de esos fuertes escudos y Gonzalo una sola lanza, o un simple palo, el resultado habría sido el mismo.

Ach Nachán y los suyos no han perdido detalle de lo sucedido. No habían contemplado nunca a un hombre deshacerse de dos contendientes a la vez con tal rapidez, sin retroceder un palmo de terreno ni recibir un solo golpe. El anciano le susurra al oído al cacique unas palabras a las que Ach Nachán asiente con la cabeza. A su lado, Yxpilotzama no deja de mirar a ese extranjero alto y de piel clara que ha cambiado su forma de ver a los hombres desde el día en el que apareció en el patio de la casa de su padre.

—Vámonos —le dice su madre al detectar su interés—. No desnudes así tus pensamientos.

Ella tarda algo más de lo habitual en obedecer, como si quisiera demostrarle al extranjero que está allí, que ha visto lo que ha hecho y que le ha gustado.

—¿Por qué crees que los dioses lo han traído aquí?

—Hija mía, eso no podemos saberlo.

—Pero sí podríamos hablar con él y preguntarle.

Jerónimo está sentado en el suelo del cobertizo. Él y los demás esclavos comen tortas de maíz sin nada que las acompañe. Su pierna sigue entablillada, aunque ya no siente dolor. La herida ha cerrado bien y ha dejado en su lugar una gruesa cicatriz.

La convivencia con el resto de los esclavos no le resulta difícil. Suelen dejarlo solo, en un extremo del cobertizo; como está impedido no sale a trabajar con ellos, pero tampoco se acercan a él en los momentos de descanso. Aunque ya entiende algunas palabras, no ha intentado hablar su idioma ni acepta su herética forma de pensar, siempre temerosos de la voluntad de sus dioses, unos seres iracundos y ávidos de sangre, mezcla de hombres y animales, que le recuerdan a los mitos griegos.

El aspecto de Jerónimo es distinto, casi abominable, tiene el pelo largo, sucio y desordenado, una poblada barba que le cubre la cara y el cuello y la piel pálida y llena de manchas. Aunque no deberían recelar de él, porque Jerónimo, consciente de su debilidad, se ha mantenido en todo momento al margen, respetuoso, quieto y callado, esa diferencia esencial en su aspecto les hace pensar en los demonios que escapan del inframundo para atormentar a los hombres y eso les provoca desconfianza, incluso algo de temor: ¿Qué hace allí ese extranjero? ¿Por qué lo han encerrado con ellos? ¿Por qué no lo han sacrificado ya y han pintado con la sangre de su corazón las caras de los ídolos? Lo temen porque nada en el mundo, ni siquiera el vuelo de un insecto o el movimiento de una hoja, sucede sin el beneplácito de los dioses, y si los dioses no lo dejaron morir en el mar, de donde dicen que viene, ni lo mataron los cocomes, si ni siquiera el poderoso jaguar acabó con él en la selva, será porque existe alguna razón secreta para que siga vivo y para permitir que haya sanado su pierna, cuando esa herida, el día que llegó, no hacía presagiar nada bueno.

A Jerónimo esos hombres no le inspiran temor, sino una lástima profunda; se pregunta cómo Dios ha permitido que florezca una civilización en la completa ignorancia de la fe en Cristo, que tantas generaciones hayan visto pasar el curso de los siglos de espaldas al evangelio y a los mandamientos. Para Jerónimo la palabra de Dios es la luz que da sentido al mundo; sin ella el hombre vive preso de sus instintos, en una contemplación pueril, vacía de juicio y de trascendencia.

Entra el curandero, que no ha dejado de visitarlo hasta asegurarse de que la pierna sanaba sin complicaciones; ha traído dos largas muletas y se las ofrece a Jerónimo. Toca la pierna y aprieta el hueso, que tras quince semanas de inmovilización, da muestras de una estabilidad completa.

—Toma —le dice—. Úsalas. Empieza a caminar.

Jerónimo comprende la intención de la frase, e intenta incorporarse, pero se mueve con dificultad por el entablillado.

—Ayudadle —ordena el curandero.

Y dos esclavos se colocan de mala gana uno a cada lado de Jerónimo y aunque no les agrada tocarlo, le ayudan a levantarse. El sanador le ofrece las muletas, él las apoya en las axilas y da un tímido paso hacia delante.

—Muy bien. Ahora intenta apoyar un poco la pierna, sin descargar en ella todo el peso del cuerpo.

Jerónimo da un segundo paso y apoya con mucho recelo la pierna enferma. La piel que cubre la herida está rosada y tirante, la musculatura ha perdido tono y la siente entumecida, pero le reconforta que ese primer intento no le haya producido dolor.

—Creo que hemos hecho un buen trabajo contigo. No tardarás en ser útil a tu amo.

Jerónimo no comprende bien la última frase del curandero e intenta habituarse a las muletas, da unos cortos pasos con ellas y, aunque se siente inseguro, sonríe al comprobar que su pierna le responde.

—Por algún motivo que no se nos ha revelado los dioses te protegen.

Los otros esclavos le observan con cierta conmiseración. Algunos incluso se alegran porque el extranjero se recupere, porque sea capaz de levantarse después de tanto tiempo y de dar algunos pasos. No terminan de confiar en él, pero después de todo lleva mucho tiempo ahí, igual que ellos, comiendo mal, respirando el mismo aire viciado de sudor y de orines y durmiendo en el suelo; sin embargo, nunca le han oído protestar, ni han visto un gesto de rebeldía; empiezan a pensar que tanta resignación no es propia de un demonio.

OCHO

Cuando salen del poblado el cielo está gris todavía y los árboles se yerguen entre los tibios vapores de la alborada. Se internan por un declive arenoso de la selva donde el aire huele a despojos de animales y se hace casi palpable, como si estuviera viciado; desde allí contemplan las primeras luces del amanecer a través de las hojas más altas, rompiéndose en un mosaico de haces ambarinos. Gonzalo avanza en una alerta prudente, al final del grupo, junto a los otros esclavos, todos con las manos vacías, unas modestas sandalias en los pies y vestidos solo con una tela anudada a la cintura que pasan por la entrepierna a modo de taparrabos al que los mayas llaman *ex*, sin saber adónde los conducen, detrás de la élite de los guerreros de Chactemal, un grupo de hombres armados con hachas y lanzas que llevan petos de algodón con piedras de sal incrustadas a modo de armadura y que protegen los brazos con fundas de cuero.

Una hora antes, cuando dormían, Kinich entró en la sala de los esclavos de la casa verde portando una antorcha, les gritó y todos entendieron que debían seguirle.

Ahora caminan deprisa a través de la selva, uno tras otro, con zancadas ágiles y amplias, sin apenas hacer ruido, bajo una esquiva luna menguante a punto de desaparecer; en sus rostros no hay miedo, ni ansia, solo empieza a aflorar el sudor.

Los monos chillan asustados a su paso, se escucha el batir de las alas de los pájaros, el insidioso zumbido de los insectos y el fragor del viento entre las ramas. En medio de la selva, en el aire fresco de esa confusa mañana, Gonzalo percibe que algo salvaje y ancestral, un instinto primitivo de supervivencia, se abre paso en su interior.

Cuando llegan a su destino y el grupo se detiene, Gonzalo reconoce el lugar de inmediato; es el mismo claro de la selva de forma rectangular en el que Jerónimo y él se entregaron a Kinich al huir de Balam y sus hombres. Ahora comprende su función, es un campo del honor, un lugar donde los distintos señoríos se citan para dirimir sus diferencias con las armas. De hecho, Balam y los suyos también están allí, al otro lado de la gran explanada, agrupados para la batalla, buscan una satisfacción que lave con sangre su ofensa. Hay una hilera de guerreros que aguardan como si formaran parte del cortejo de la muerte, pues tienen las caras pintadas de blanco y negro para simular el contorno de unas calaveras y enseñan unos dientes puntiagudos, tallados igual que si fueran de lobo; uno lleva el cráneo amarillento de un venado encajado sobre la cabeza y unas feas hombreras hechas de guijarros y de mandíbulas humanas; otro un escapulario de colmillos ensartados y se cubre hasta los ojos con una capucha de piel de mono; y un tercero que no para de mover la barbilla arriba y abajo y de murmurar algo parecido a un lamento porta sobre la espalda una capa siniestra hecha de pieles de ocelotes y de lagartos cosidas entre sí con bastos hilos amarillos que parecen tendones; el propio Balam ha enfundado su cabeza en las fauces abiertas de un jaguar, de forma que el rostro le asoma entre los grandes colmillos del animal, va casi desnudo y empuña en una mano un gran mazo de madera en cuyos bordes hay incrustaciones de obsidiana bien pulida y en la otra un robusto cuchillo de pedernal con la hoja de sierra.

Kinich, que lleva el escudo de madera que fabricó Gonzalo, se abre paso entre los suyos y les ordena formar. Al instante, cada uno de los grupos ocupa los extremos opuestos del claro. En total son más de cien hombres que se observan y esperan a que se eleve el sol, pues los mayas no combaten de noche.

Cuando la luz del sol ilumina el claro, en el bando de Balam suenan tambores vaciados en trocos de zapotes, trompas de concha y silbatos tallados en hueso, un estruendo que es a la vez una forma de inauguración y un desafío, y que es respondido con ruidos semejantes por los hombres de Kinich. Luego prenden hogueras en las esquinas y gritan una suerte de cánticos rituales al ritmo de los tambores que a Gonzalo le parecen invocaciones a sus dioses, o conjuros, o ruidos sin armonía y sin significado cuya única pretensión es demostrar la unidad del grupo y atemorizar al enemigo. De repente, los primeros guerreros de cada fila inician unos movimientos extraños, contorsiones de la espalda y aspavientos con los brazos y las piernas, en una afectada mímica de raigambre animal que evoca la astucia de la serpiente, la agilidad de las aves y el inapelable dominio del jaguar.

Balam da un poderoso grito que parece surgir de las entrañas de una bestia. Kinich responde con uno semejante. Los dos grupos se precipitan el uno contra el otro entre alaridos desquiciados, sin ninguna táctica militar, buscan el choque de los cuerpos y ofrecen sus rostros de pesadilla y sus pechos tatuados al abrazo mortal de las hachas.

Gonzalo permanece en la retaguardia, vigila el movimiento de los cabecillas e intenta adivinar sus planes a la espera de atrapar el arma de algún caído. En un instante se desata un caos de violencia y desgracia, un tumulto de sangre. Llueven los dardos en todas las direcciones, como si estuvieran en medio de una bandada de pájaros, y cerca de él un hombre se derrumba con una flecha que le ha entrado por un ojo y otro se retuerce en el suelo mientras suelta espumarajos por la boca y se cubre con las manos la hemorragia que le brota del cuello; un poco más allá un guerrero se aleja del frente sin un brazo y otro lo persigue gritando y lo atraviesa con su lanza. Hay heridos por todas partes, hombres que se arrastran, lamentos, súplicas, cadáveres pisoteados y manchas de sangre en los cuerpos y en los rostros que se confunden con las pinturas, las plumas y los adornos hechos con garras y pieles y sucias cabezas de pájaros.

Los esclavos piensan en huir, aunque ninguno lo hace, en cuanto surge la oportunidad recogen las armas de los caídos y se incorporan a la lucha: asumen que es más inteligente servir a Kinich y ganarse su afecto o la liberación que huir por la selva para morir después sacrificado por cobarde. Gonzalo en seguida consigue un hacha y una lanza rota. Mira a su alrededor; los guerreros se enfrentan de una forma desordenada y obedecen sin demasiada disciplina las órdenes esporádicas de los sus jefes; no hay técnicas de ruptura, ni líneas basculantes, ni se defienden los flancos, ni siquiera se distingue una nítida división entre la vanguardia y la retaguardia; no ve nada de lo que ha aprendido en sus muchos años de soldado, salvo un peligroso desconcierto, más propio del final de las batallas que de su inicio; es una simple colisión de fortalezas y de brutalidad donde matar o mutilar al enemigo más cercano con el primer golpe asegura un instante más de supervivencia, un momento de prórroga frente al olvido.

Ve luchar a Balam, el mejor entre los del bando enemigo, lo hace con la cabeza alta y el pecho lleno de aire, atento a lo que le rodea, bate sus armas a uno y otro lado con la eficacia de un coloso, alterna golpes de maza con rápidas puñaladas, mata al menos a cinco enemigos, pero lo percibe inquieto, preso de la ansiedad, buscando sin cesar a Kinich con la mirada. No es difícil intuir que persigue un cuerpo a cuerpo con el hombre que lo humilló, que no está allí para ganar la guerra, sino para acabar con su enemigo. Gonzalo sabe que si Balam vence ese duelo, la suerte volverá a darle la espalda; por eso se acerca a las posiciones de Kinich y decide defender su vida como tantas veces defendió la vida de sus superiores en las guerras de Nápoles. Un guerrero con la cara tiznada y los dientes ensangrentados se cruza en su camino y le hace frente; Gonzalo amaga un golpe con la lanza y sin darle tiempo a reaccionar hunde el hacha en la cabeza de su contrario de forma tan profunda que tiene que tirarlo al suelo y pisarle la frente para desencajarla. En ese instante, ve que Kinich ha perdido la cara a Balam y que este se dirige hacia él con la maza en alto, dispuesto a matarlo por la espalda. Gonzalo corre entre los contendientes, esquiva los ataques que intentan frenarlo y llega a tiempo de desviar el funesto golpe de maza con su hacha. Kinich se da la vuelta al escuchar el impacto y comprende lo sucedido, pero tiene que seguir defendiéndose de sus adversarios a golpes de escudo mientras Gonzalo queda solo frente a Balam, que lo reconoce y se abalanza sobre él con el cuchillo. Gonzalo no lo rehúye, evita un golpe que podría haber sido mortal y lo traba, y ambos hombres caen al suelo apresados el uno al otro y ruedan en un giro frenético, violento y definitivo del que, contra la certeza de los muchos que se han detenido para observarlo, solo se levanta Gonzalo.

Cuando los hombres ven a Balam en el suelo, con el cuchillo de Gonzalo hundido entre las costillas, la boca abierta llena de sangre y la mirada congelada, dejan de luchar; algunos tiran sus armas y separan los brazos del cuerpo en señal de rendición, otros corren sin mirar atrás, invocando a sus dioses, como si intuyeran no solo el final de una batalla, sino también el de una época.

Al cabo de un momento, sobre el atroz campo de batalla, solo queda la tranquilidad de los muertos y, de pie entre ellos, como si fueran testigos mudos, Gonzalo, Kinich y veinte de sus hombres, que se dispersan por el campo en silencio, recuperan las armas que puedan ser de utilidad, las apilan a un lado para que más tarde sean transportadas por los esclavos y, cuando terminan, desenfundan sus cuchillos de pedernal con dientes de sierra y cortan las manos a los cadáveres de los derrotados para colgárselas en la cintura en señal de victoria.

Kinich mira frente a frente a Gonzalo; apenas sabe nada de ese extranjero que le ha salvado la vida, intuye que es orgulloso y con toda probabilidad difícil de gobernar, pero su destreza en la lucha y su noble actitud le hacen deducir que será conveniente mantenerlo a su lado. En un gesto de paz y agradecimiento cruza su brazo izquierdo sobre el pecho y se toca el hombro. Después se dirige hacia el cadáver de Balam, que sus hombres han respetado, se agacha junto a él, lo decapita como si despiezara un animal y, asida por el pelo, le entrega la cabeza a Gonzalo.

NUEVE

Zinac observa a Gonzalo desde detrás de un macizo de palmas que rodea el taller de carpintería. Hay una pequeña explanada frente a la modesta choza que le han adjudicado para vivir y trabajar. Gonzalo está sentado en un banquillo de madera en la entrada, sostiene sobre las piernas el caparazón de un armadillo y lo pule con la ayuda de un instrumento de pedernal similar a un formón y de una oscura piedra volcánica que ejerce de lija. Zinac, desde su improvisado escondite, no sabe qué utilidad puede tener esa gran forma cóncava, como no sea contener un líquido. Ve que Gonzalo ha cortado un trozo de madera plano con un agujero en el centro, y que las piezas encajan una en la otra sin holguras.

—¿Cómo se encuentra hoy tu camino, hombre libre? —pregunta Zinac.

Gonzalo ha aprovechado las lecciones de Zinac y ha aprendido bien la lengua de los mayas, se ha acostumbrado sin esfuerzo a sus sonidos consonánticos y a la ausencia de género y de artículos, incluso se divierte con el desafío de descifrar sus ideogramas.

—Zinac, querido amigo, buenos días.

—¿Qué es eso que construyes? Llevo un rato observándote y no entiendo su utilidad.

—¿Estabas escondido?

—No, claro que no... buscaba algún sitio para resguardarme del sol, ya sabes que no me gusta demasiado, a ti tampoco te gustará cuando tengas mi edad, luego te he visto, y...

—Cuando lo termine, será un instrumento musical.

—¿Un instrumento musical? Es muy extraño. ¿Vas a rellenarlo de piedras para que suene?

—No. Esto será una caja hueca. Sobre el agujero vibrarán unas cuerdas muy tensas. La cavidad aumentará el sonido y lo hará más amable.

—Me alegra verte así. Toda la ciudad habla de ti. Hacía mucho tiempo que Ach Nachán no daba la libertad a un esclavo.

—He sido afortunado, eso es todo.

—Eso que tú llamas fortuna no existe. Todo lo que pasa en el mundo es por voluntad de los dioses; cada fruto que alcanza la madurez y se desprende de su rama, cada pájaro que remonta el vuelo, incluso cada gota de sangre que moja la tierra. Todo participa de lo sagrado. No lo dudes: si salvaste la vida de Kinich es porque habías nacido para ello. Los dioses evitaron tu muerte en el mar, e hicieron lo mismo en la tierra de los cocomes, para darte después la gloria de vencer a Balam en el campo de batalla; cada suceso formaba parte de su plan y ha hecho de ti un elegido, algo que nadie duda en esta ciudad. Pero, dime, ¿por qué me has hecho llamar? Ahora soy yo quien debe obedecerte.

Zinac inclina su cuerpo hacia delante y hace un leve gesto de sumisión, que Gonzalo impide de inmediato.

—Incorpórate —dice Gonzalo—. Tú nunca estarás a mi servicio. Un amigo no sirve a otro. Te he llamado porque hay algo que necesito saber. Algo muy importante para mí.

—¿Acerca de tu compañero?

—Así es. Ayer fui de nuevo a la cabaña donde Kinich retiene a sus esclavos y no lo encontré allí. Han sido ya muchos días. Junto a la entrada vi a otros hombres sentados en el suelo y a un par de guardianes armados que vigilan a los prisioneros, pero todos desconfían de mí, y cuando pregunté dónde se encontraba no me contestaron.

—Se nos ha prohibido hablarte de él. Siempre se hace con los esclavos que llegan juntos, no damos información a unos de dónde se encuentran los otros, eso evita que se reúnan y que planeen fugarse. Pero supongo que mantener silencio ahora que eres libre ya no tiene sentido. La última vez que recibí noticias de tu compañero se encontraba bien. El curandero le inmovilizó la pierna, se recuperó de sus heridas y cuando pudo caminar lo llevaron a los campos de maíz de las tierras altas.

—No sé dónde están esas tierras altas... ¿En qué dirección he de viajar?

—¿Vas a ir a buscarlo? Es peligroso.

—Él lo haría por mí.

—¿Tanto aprecio le tienes?

—Ha sido mucho lo que hemos sufrido juntos. Y ese sufrimiento nos ha convertido en hermanos.

—Puedo entender esa honrosa forma de afecto, pero ¿de qué te valdrá ir? Sería un viaje inútil. No posees suficientes semillas de cacao para comprar su libertad.

—Apenas tengo semillas de cacao, eso es cierto, pero puedo ofrecer esto...

Gonzalo entra en la choza y al salir le enseña a Zinac una bolsa llena de pequeñas máscaras y amuletos de madera que representan a sus dioses, réplicas casi exactas en miniatura de las imágenes que adornan sus templos y de las figuras de los frescos: Ahau Kin, el dios del sol, con sus ojos cuadrados; Yum Kaax, el señor de los bosques, con una mazorca de maíz sobre la cabeza; Chaac, el dios de la lluvia, que tiene un ojo de reptil, una larga nariz enrollada y dos grandes colmillos; Ek Chuach, el dios de los mercados, con una bolsa a la espalda...

—¿Has hecho tú todo eso?

—He tallado sin cesar, día y noche, he pensado que para tu pueblo pueden resultar valiosos.

—Sin duda. Más de lo que imaginas. Hay magia en tus dedos.

—¿Me dirás dónde está Jerónimo entonces?

—Necesitamos el consentimiento de Ach Nachán, nadie puede hacer un viaje tan largo sin su permiso; si nos lo concede, te acompañaré. Es necesario atravesar la selva; si vas solo podrías perderte. Se encuentra a dos días de camino hacia el interior. Antes de salir tendrás que afeitarte el pelo de la cara y pelarte la cabeza igual que nosotros, así llamarás menos la atención. Yo me encargaré de conseguir algo de comida y de ropa adecuada para el viaje.

Unos días después, los dos hombres salen de la ciudad al alba; cruzan las tierras cenagosas que rodean la ensenada y se adentran en la espesura por un estrecho sendero que los lleva entre árboles delgados, de corteza clara y hoja caduca, bajo los cuales escuchan los cantos frenéticos de los ixyalchamil, unos pequeños pájaros que parecen prevenirlos de su obstinado propósito. Antes del mediodía circundan un terreno pantanoso de tulares y carrizales en el que miles de plantas acuáticas de hojas finas y alargadas se proyectan hacia lo alto y tiemblan al unísono, formando olas apacibles, mecidas por el suave viento de poniente.

Gonzalo siente el esplendor mudo de la belleza, la agradable emoción de formar parte de algo nuevo, sin mancillar, de pertenecer a un espacio propio a salvo de la desilusión y el dolor. Si hasta ese momento aquella parte del mundo le resultaba ajena y sofocante, ahora la mira sin amargura, despojada de odio, espléndida en su serena grandeza.

Gonzalo ayuda a Zinac a subir los desniveles de las aguadas y los terraplenes arcillosos, y luego se sientan a descansar en una elevación rocosa desde la que divisan una inmensa cavidad en la tierra, una gruta con el techo desplomado y las paredes cuajadas de vegetación en cuyo fondo corre uno de los muchos cauces de aguas subterráneas que hacen fértil aquella tierra.

—¿Ves ese enorme agujero? —dice Zinac—. Es un cenote, uno de los accesos al inframundo, el vientre de la gran Madre Tierra, el lugar de los que se desvanecen.

—¿Los que se desvanecen? No entiendo qué quieres decir.

—Ahora eres uno de los nuestros; cuando mueras, tú también descenderás al inframundo para purificarte, hasta la novena capa, donde lo negativo se vuelve positivo. Bajarás a ese abismo, atravesarás el gran río rodeado de jícaros espinosos y alcanzarás al cruce de caminos. En él tomarás la vereda negra y no las que veas de otro color, porque solo la vereda negra conduce al inframundo; una vez allí los señores de Xibalbá pondrán a prueba tu alma en una de las seis casas: la casa de las tinieblas, la casa de los cuchillos de obsidiana, la casa del frío, la casa de los jaguares, la casa del fuego o la casa de los murciélagos. Pero no tengas miedo, superarás todas las pruebas y llegarás a la esfera celeste. Yo te prepararé.

Los dos hombres se acercan en silencio hasta el borde del cenote y sus miradas se pierden en la negra seducción del abismo.

Gonzalo recuerda esa otra cavidad en la tierra donde descendió con Jerónimo, y al percibir el respeto que infunde en Zinac ese accidente del terreno comprende el motivo por el cual aquellos cocomes dudaron antes de seguir persiguiéndolos. Mira al fondo del cenote y reconoce, en medio de una realidad vaporosa y oscurecida, un débil rastro de luz esmeralda que se derrama sobre la vegetación, dibuja el perfil de unas rocas tapizadas por el musgo y se pierde en el fondo de las aguas.

—¿Ese es el camino?

—No te impacientes —contesta Zinac—. Aguarda a morir para saberlo. Vamos, el viaje es largo.

Cruzan cañadas cubiertas de hojas pardas, rojas y amarillas, que parecen haber sido dispuestas una a una para formar un mosaico, atraviesan las aldeas en ruinas que abandonaron los primeros pobladores del Mayab y escuchan entre las frondas el sibilante lenguaje del viento al perderse en los recovecos de un dédalo cambiante, generoso e infinito.

A la caída de la noche entran en una pequeña cueva protegida por un saliente de piedra en la que encuentran los restos de una fogata y unos huesos diminutos, como de conejo, apilados por la mano del hombre. Duermen allí sin sobresaltos, acurrucados al abrigo de la roca, y con las primeras luces del amanecer reanudan la marcha y ascienden por un breve tramo escarpado de paredes grises y estriadas en las que descubren huellas rojizas de manos y, junto a ellas, dibujos sinuosos del mismo color hechos con la yema de los dedos que les recuerdan las olas del mar.

En lo alto, por encima de las piedras más altas, encuentran el cadáver de un hombre tumbado boca abajo sobre un charco de sangre seca y oscura. Se halla descalzo, casi desnudo, y sus largos mechones de pelo negro y brillante están invadidos por las hormigas. Zinac se acerca al muerto y le da la vuelta con la punta del pie. Es un guerrero de Cochuah, no tendrá más de veinte años y se encuentra muy lejos de su territorio. Tiene el cuello y el pecho pintados de azul, y a Gonzalo le viene a la memoria que antes de sacrificar a sus compañeros en la cima de la pirámide fueron embadurnados de ese color. Tal vez ese hombre había conseguido escapar de una de aquellas ceremonias, pero lo habían alcanzado. Es muy posible que fuera él quien habitó la cueva en la que han pasado la noche y que los huesos de conejo fueran los restos de su última comida. Luego lo hirieron, puso sus manos manchadas de sangre en las paredes de la quebrada y llegó hasta aquí para morir. Tiene un agujero negro en el centro del pecho, como si lo hubieran atravesado con una lanza, y su cuerpo está cubierto de larvas, gusanos y moscas afanosas de colores brillantes que se desplazan con pequeños saltos sobre la piel macerada como si no supieran volar. Zinac mira a Gonzalo y luego otea a su alrededor en busca de algún guerrero. Aunque no ven a nadie, los dos hombres entienden que no es prudente permanecer durante mucho tiempo en aquel lugar. En silencio, retoman el camino y dejan al muerto a sus espaldas, tendido bajo el sol de mediodía, con la boca abierta, los ojos turbios y una mueca absurda de desagradable estupor.

Zinac empieza a sentir el cansancio y no habla para no gastar más fuerzas de las necesarias, durante buena parte del camino Gonzalo se enfrenta a la fragilidad de su situación y a la desnudez de sus propios pensamientos; es un hombre tan consciente de sus capacidades como de sus limitaciones, alguien que, sin terminar de saber cuál es la esencia de sus deseos, ha tenido en todo momento la certeza de qué era lo que no le complacía, lo que prefería apartar de su lado; esas mismas dudas fueron las que lo llevaron a la otra parte del mundo y las que le hicieron mantener la distancia con los demás para no dejarse atar a nadie ni a ningún lugar, y aunque sabe que todos los procesos del pensamiento son rehenes de la subjetividad, ya discierne entre lo esencial y lo accesorio en este nuevo mundo, entre lo que le gustaría llevar a cabo y lo que conviene a su supervivencia.

Al caer la tarde del segundo día, con un sol blando y rojizo a la espalda, llegan a una gran plantación de maíz. En ella trabajan docenas de esclavos que recogen las mazorcas, les quitan las hojas, las transportan a su espalda en cestos cilíndricos y las cuelgan de sencillas estructuras de madera para que sequen. Gonzalo busca en todas las direcciones, escruta todos los rostros, pero no ve a Jerónimo.

Zinac se dirige a Yumil, el capataz, un hombre taciturno sentado sobre el tronco de un árbol caído; muestra una cara redonda y brillante, cubierta de una fina capa de sudor, los párpados hinchados y la frente arrugada por la continua molestia del sol. Su única tarea consiste en desplazar sus ojos rasgados y diminutos a uno y otro lado, sin mover el cuello, para vigilar el rutinario trasiego de las mazorcas. Zinac lo trata con familiaridad, como si se conocieran. Hablan deprisa, con una entonación peculiar, distinta de la de Chactemal y que sugiere un origen común, aunque Gonzalo es capaz de entender buena parte de la conversación.

—¿El hombre barbado? Sí, sé de quién hablas; estuvo aquí —dice Yumil, que mira a Gonzalo con suspicacia—. No era tan fuerte como el esclavo que te acompaña, pero trabajaba bien y obedecía. Tenía una cicatriz muy grande en una pierna. Recuerdo que le llamaban *el castellano.* Afirmaba que lo trajeron las corrientes desde el otro lado del mar, por donde sale el sol. Algunos le temían por eso; yo desde luego no. Llevo aquí mucho tiempo y he conocido mentirosos de todas las clases, incluso uno que dijo que descendía de la estirpe de Ah Mun[3] y que por eso conocía las artes de la escritura y recitaba poemas. En realidad, todos son la misma carroña. Al que tú mencionas se lo llevaron al mercado de esclavos de Polé. Hace mucho tiempo.

Zinac agradece la información, se despide de Yumil con un gesto amable y toma del brazo a Gonzalo para alejarlo de allí.

—Ha dicho algo de un mercado de esclavos, ¿verdad? —pregunta Gonzalo.

—Sí. Se llevaron allí a tu amigo.

—¿Y dónde se encuentra ese sitio?

—¿Polé? Mucho más al norte, en la costa, a seis días de camino a pie a través de la selva.

—¿Solo seis días? Vamos, no perdamos tiempo.

—Yo no puedo ir, Gonzalo, me fallan las fuerzas. El camino es demasiado duro para un hombre de mi edad. Esa parte de la selva es muy cerrada, los senderos se borran y se cruzan entre ellos. Además, Polé no pertenece a este señorío. Está en Ekab, es tierra de los cocomes, los del linaje de la paloma torcaz, los mismos que mataron a tus compañeros. Nuestra vida allí no valdría nada.

—No te preocupes, Zinac, lo entiendo y agradezco de corazón todo lo que has hecho por mí. Si no hubiera sido por

---

3 Dios del maíz entre los mayas.

tu ayuda mi vida aquí habría sido muy distinta. Descansa y regresa a Chactemal. Señálame por dónde se va a Polé. Viajaré solo.

—¿Has visto la expresión del capataz? Sabe que no eres de los nuestros. En cuanto te separes de mí te apresarán. Y llegarás a Polé, pero como esclavo. Yumil me conoce y sabe que sirvo en la casa grande. Él y los suyos no te han tocado porque viajas conmigo.

—Sé defenderme.

—No lo dudo, te defiendes mejor que nadie que conozca, sin embargo, dejas un rastro muy claro en la selva y en algún momento te detendrás y dormirás. Te apresarán. Se paga mucho en Polé por un hombre tan fuerte como tú. Y ellos no se darán por vencidos.

—Si no voy a buscarlo, sentiré siempre que lo he abandonado. Y no quiero vivir con esa carga.

—Recapacita, por favor, hay mucha luz en tu entendimiento, te has ganado el respeto de mi pueblo, aprovecha esa ventaja. No lo encontrarás. Muchos esclavos mueren por el camino, ni siquiera sabemos si llegó vivo, y si tuvo suerte y lo logró no dudes que lo habrán vendido al cacique de otro señorío, o a los chontales[4]. Nadie se queda allí demasiado tiempo.

Gonzalo pierde la mirada en el horizonte. Frente a él la selva se extiende más allá de donde alcanza la vista. Una inmensa superficie verde y ondulante, casi homogénea, un turbulento mar de vegetación sin referencias visuales donde todo se repite hasta la saciedad, como si cada árbol fuera igual a todos los demás, o como si se reflejaran en cientos de espejos.

---

4 Los chontales constituían una etnia maya que habitaba al suroeste de la península de Yucatán, en el actual estado mexicano de Tabasco.

DIEZ

Sabe que ya le ha visto, que sus ojos nictálopes de depredador nocturno vigilan dónde se encuentra, y aunque no fuera así, hace tiempo que su olor habrá delatado su presencia. No llevaba caminando más de cuatro horas a través de la selva, abriéndose paso a través de una senda escuálida con el cuchillo de pedernal que le había entregado Zinac para que pudiera defenderse, cuando escuchó el rugido del jaguar como un desgarro entre las primeras sombras del atardecer, abriéndolas en dos como si fueran de tela; prefirió pensar que la bestia estaba lejos, que emitiendo aquel sonido solo demostraba su presencia, y avanzó en la misma dirección, la única posible según las indicaciones de su amigo para alcanzar la distante ciudad de Polé, sin comprender que aquel rugido hosco, grave y amenazador iba destinado a él y era una advertencia para que saliera de su territorio de caza. Ahora ya no duda que es demasiado tarde para pensar en algo que no sea cómo sobrevivir; mira los troncos de los árboles que le rodean, verticales, lisos y húmedos, igual que los mástiles de un barco, y descarta la posibilidad de trepar por uno de ellos; no distingue una guarida natural donde refugiarse, ni dispone de tiempo para preparar una trampa, porque el jaguar ya está ahí, en algún sitio, entre las sombras, a la espera del momento más propicio para atacarle. Decide quedarse quieto, tal como ha oído decir a los cazadores de osos de Asturias y del norte de León, pegar la espalda a un árbol, no mover ni un músculo y confiar en que el animal encuentre otra presa más accesible, un zorrillo o un mapache que se mueva a su alrededor y distraiga su atención; ignora que el cerebro del gran cazador de la selva atiende a un mecanismo primitivo e inmutable: elige su presa, la aísla y la asedia hasta cobrársela. Y aunque el final siempre implica una muerte, no hay ni un ápice de maldad en ello, es su comportamiento instintivo, la forma en la que se imponen las leyes de la selva desde los lejanos días de la creación. Sostiene el cuchillo de pedernal en la mano derecha, aferrado con fuerza, es un arma poderosa, del tamaño de una espada corta, grueso de hoja, con un filo mellado e irregular muy cortante; también ha vaciado el saco de las pequeñas figuras talladas, que ahora se reparten por el suelo, y se lo ha enrollado en el antebrazo izquierdo, de la misma forma que ha visto hacer desde niño en las peleas a cuchillo. El silencio es casi completo; solo se oye el perenne zumbido de los insectos, ningún animal se atreve a emitir el más mínimo sonido, pues saben que el jaguar ha salido de caza. Gonzalo empieza a sudar, no recuerda un temor semejante en ninguna batalla, bajo la amenaza de ningún hombre ni de ningún ejército, ahora el corazón le avisa de que se enfrenta a una verdadera amenaza, ante un adversario poderoso y devastador. Intenta prever cómo será el ataque, si el jaguar se abalanzará sobre él desde la maleza o esperará a que se mueva de una posición que parece segura y le ofrezca la espalda. En ese momento se da cuenta de que ya lo huele, que su enemigo está tan próximo que es capaz de percibir su intenso hedor a muerte, y antes de que decida si le conviene o no huir, el jaguar se abalanza sobre él desde la negrura y Gonzalo solo ve acercarse su cabeza inmensa, la boca abierta con las fauces casi desencajadas, unos dientes pulidos en el infierno y unos brillantes ojos verdes que son la expresión más cruel de la belleza. El animal, que busca su nuca, le araña en la cara, pero clava sus garras en el tronco del árbol, y Gonzalo consigue interponer entre sus dientes el brazo envuelto en la basta tela de saco; el dolor es atroz, como si la presión de su mandíbula desgarrara uno por uno todos los músculos y los nervios del brazo, aspira su aliento inmundo y siente cómo lo baña con una saliva viscosa, ácida y templada. Gonzalo mantiene la calma y clava el cuchillo con todas sus fuerzas en el cuello del jaguar, por debajo de su oreja, una vez, dos veces, tres veces, hasta que el enorme felino ruge y se retuerce de dolor y se aparta de ese extraño gigante blanco sin dejar de mirarlo, desplazándose hacia atrás mientras un chorro intermitente de su sangre empapa la tierra, entonces se agazapa en el suelo sin entender qué ha pasado para que por primera vez en su vida de cazador solitario su presa no haya perecido tras su acometida, para que todo se nuble ante sus ojos y sus patas no le respondan. Gonzalo tiene la cara ensangrentada y no ve por el ojo derecho, retira la tela de saco del brazo y descubre dos profundas heridas que debe cauterizar, pues sabe que la mordedura de cualquier animal siempre es asiento de la ponzoña. Enciende una pequeña fogata junto al cadáver del jaguar, calienta en ella el cuchillo de pedernal hasta que cambia de color y lo aplica sobre las heridas. Al hacerlo siente un dolor lacerante, más intenso que la propia mordedura, pero no le importa, porque es la consecuencia de una victoria heroica y definitiva. Luego arranca un trozo de tela de su ropa y se lo ata a la cabeza para cubrir el ojo herido. Es tarde y siente deseos de dormir. Se tumba junto al animal y decide que continuará su camino a la mañana siguiente. Esa noche sueña con decenas de barcazas que avanzan por el cauce de un río, en cada una de ellas reman cuatro guerreros mayas, no sabe dónde van, ni qué es lo que van a hacer, pero puede ver con claridad que él es uno de ellos. «¡Español!» —escucha que le dicen desde la orilla—. «¡Eh, tú, español! ¿Has venido a buscarnos?». Cuando le despierta la luz de la alborada se incorpora y mira el cadáver del jaguar; en las sombras del crepúsculo no había visto con claridad su hermosa piel amarilla salpicada de rosetas negras que se reparten por todo el cuerpo y confluyen en el espinazo, pequeñas en la cabeza y en las patas, más grandes en el lomo y con formas de anillos en la cola; se siente impelido a atrapar esa belleza, a hacerla suya para siempre y, sin dudarlo, empujado por un entusiasmo febril, hunde el cuchillo en el vientre del animal y lo despelleja. Luego extiende la piel al sol para que seque y la limpia de restos de sangre y de las delgadas briznas de grasa que la unían al músculo; una vez que ha perdido la humedad y con ella la sensación untuosa de que dentro de ese pellejo aún existía un ser vivo, se la echa sobre los hombros y encaja la máscara de su piel sobre su propia cabeza. «Ahora poseo su aspecto y su olor» —se dice a sí mismo, y retoma el sendero estrecho que conduce hacia el Norte. En su camino, a veces percibe que el pasado regresa y se hace palpable, que vuelve a ser un hombre sin necesidad de nada ni de nadie, que en medio de la selva, en su silencio sobrecogedor, ha encontrado la misma felicidad que sintió de niño y que ha buscado tanto tiempo sin saberlo. Esa quietud solemne que le rodea no es más que su recompensa, un entorno nuevo y estimulante de completa soledad que no es pernicioso ni está marcado por la aflicción, porque lo esperaba desde siempre. No anhela ya reconocimiento, ni monedas de oro, ni siquiera miradas fugaces de admiración, hasta ahora no lo sabía, a esta nueva forma de plenitud le resulta suficiente con sentir los pies sobre la tierra y percibir una abundancia verde, salvaje, casi infinita, a su alrededor. Al cabo de todo un día en la selva cubierto con la piel del jaguar se ha acostumbrado a que las aves y los monos callen a su paso, a que ni siquiera las serpientes le molesten; ha comprendido que en la naturaleza germinal que vio nacer al hombre el miedo a ser aniquilado se convirtió en el verdadero poder que una criatura ejerce sobre otra, que al absoluto que representa la vida no le importa el bienestar, ni el agradecimiento, ni la calma, ni ninguna de las pueriles y engañosas manifestaciones del placer, sino la simple lucha por la supervivencia, el ansia por vivir un día más, el aliento de una forma cardinal de esperanza que es mayor que todas las medianías del hombre. Se mantiene alerta, sabe que los traficantes de esclavos lo acechan, que tiene que ceñirse a su ruta y a la vez vigilar sus espaldas; a veces sube a un árbol y escruta a su alrededor, al hacerlo le gusta sentirse el animal más poderoso de la selva, a veces describe un amplio círculo, igual que lo habría hecho el jaguar, y observa las señales en las plantas y las piedras hundidas, hasta que descubre una huella fresca en el barro, y otra un poco más adelante, y toma consciencia de que ahora es él quien está detrás, el perseguidor, aquel a quien los otros deben temer. Siente que esa turbadora quietud, tan distinta a la paz, es el terreno que debieron pisar los primeros pobladores, aquellos que comprendieron que debían matar a quienes representaran una amenaza. Al día siguiente deja atrás a los dos indios muertos: ha cortado sus cabezas y las ha suspendido de unas ramas para aviso de sus enemigos, para que todos los esclavistas entiendan que no les resultará fácil atrapar al hombre blanco; luego les ha amputado las manos, como vio hacer a los hombres de Kinich después de la batalla, y las lleva colgadas en la cintura. Nada le asusta y nada le asombra, tal vez haya iniciado el camino que conduce al inframundo, un peregrinaje que no da ni un solo paso hacia la luz, o quizá se le haya revelado que la paz está allí donde la existencia se desvanece, solo al alcance de los que sueñan que una amplia bocanada de aire puede ser un tesoro. El tercer día empieza a llover, los rastros desaparecen y la maleza queda aplastada bajo el peso del agua y se desparrama por el suelo haciéndolo intransitable. Gonzalo se ha extraviado, ni siquiera intuye dónde está la senda que conduce a Polé, la espesura no le permite avanzar y carece de certidumbres. Todavía puede desandar el camino, aunque haya viajado en ocasiones en círculo, descubrirá sus huellas y las de los dos hombres a los que mató y antes o después llegará al maizal; reconoce que el bueno de Zinac tenía razón y que jamás encontrará a su amigo, pero sabe que, en cualquier caso, él debía intentarlo.

ONCE

Gonzalo pasa los días sentado en su banquillo de madera, en el exterior del taller de carpintería. Ha clavado en la pared de su casa, junto a la entrada, la vistosa piel del jaguar; porta siempre en la cintura el cuchillo de pedernal que le salvó la vida y entregó las manos de sus enemigos como ofrenda a los sacerdotes del templo.

Está solo. El corazón de su amigo Zinac no soportó el esfuerzo del viaje de regreso. Lloró su pérdida como no había llorado ninguna otra en el curso de los años, y le talló una máscara mortuoria para que entrara con ella en el Xibalbá y cumpliera con un rostro nuevo, ante los espíritus subterráneos, la ceremonia de la regeneración.

Los habitantes de la ciudad se han acostumbrado a verlo ahí fuera, meditabundo, trabajando en silencio. Construye pequeños juguetes para los niños, talla figuras ornamentales que los sacerdotes usan en sus celebraciones y a veces lo llevan ante una de las pinturas murales y le encargan una máscara del dios del sol, del dios de la lluvia o del dios de las abejas y la miel; fabrica escudos, mazas y picas, muy apreciados por los guerreros, también mesas, sillas y cajoneras.

A veces recuerda su pasado en Castilla y siente con extrañeza que no lo añora, que el avance de los batallones entre nubes de polvo, los rostros exhaustos de los soldados, las miradas de desesperación y las armaduras abolladas por el acero enemigo pertenecen a un pasado que no regresará, que su nueva vida en Chactemal, con esos otros hombres de caras tatuadas y cráneos alargados, le ha puesto en contacto con la magia, como si todo formara parte de un rito de iniciación, tal vez de una segunda oportunidad. Le gusta imaginar que en esta nueva tierra es posible lo que cuentan los chamanes: que los hombres, a través los rituales y los trances de la hechicería, pueden transformarse en dioses y en seres sobrenaturales; que en cada cuerpo conviven dos formas de energía, dos almas: una espiritual e inextinguible que todos comparten y otra individual, ligada a cada persona, con forma de animal, que refleja en su aspecto los acontecimientos de su vida. Se siente cómodo con la idea de que su inframundo no le recuerda al infierno cristiano, pues en él hay muerte, pero también vida, es un lugar de superación que se relaciona con una extinción interior y el nacimiento a otra vida, una resurrección que transforma las tinieblas en luz, un lugar sin condenación perpetua como castigo por los pecados.

No ha recuperado la visión del ojo derecho. La herida del jaguar desgarró las cubiertas oculares y dejó escapar los humores transparentes que facilitan el camino de la luz. Los sacerdotes lo llevaron al curandero, que le hizo beber el dulce néctar del balché para amortiguar su conciencia y permitir a su espíritu transitar de lo profano a lo sagrado y, sin que él lo advirtiera, fundió un trozo de látex de la corteza del árbol de goma, la moldeó y le rellenó la órbita ocular con una bola de caucho sobre la que pegó una pieza de jade de forma lenticular que poseía el brillo profundo de un cúmulo de estrellas, como si le colocara en el rostro una ventana verde a su nuevo mundo.

Kinich se acerca a visitarlo todas las tardes desde que regresó de la selva. Se hallaba con sus hombres en la entrada de la ciudad cuando apareció cubierto por la piel del animal sagrado, con el rostro y el cuerpo herido por sus garras y las oscuras manos de sus enemigos colgando de la cintura. Sabe que Gonzalo no es solo un carpintero, lo percibió en el mismo instante en el que lo vio combatir contra Balam, sino alguien que ha de permanecer a su lado, preparándose con él para la guerra; es un hombre singular en la lucha, se ha enfrentado a sus miedos y los ha vencido y, sobre todo, ha cazado un jaguar, el animal que lleva dibujado en la piel el cielo nocturno, el que transita por todos los niveles del cosmos, el renovador de los mundos, el dueño de la ferocidad y de la fuerza.

Esa tarde, después de acariciar con su mano la piel del jaguar, mientras percibe en ella toda la fiereza contenida de ese sacrificio, Kinich habla a Gonzalo como lo haría a su hijo:

—No permitiré que escondas más tu carácter —le dice sin apartar la mirada del verdor abisal de su ojo de jade—. Un hombre que mata a un jaguar no vuelve a ser el mismo, sino que renace a la vida, porque esa muerte lo enfrenta al inframundo, al caos primigenio donde los hombres jaguar iniciaron los cuatro linajes del Mayab. Muy pocos son capaces de conseguir lo que tú has logrado. Ahora nadie te ve como un extraño, sino como un enviado de los dioses. Tarde o temprano dejarás de aparentar que eres un carpintero y serás tú mismo.

Gonzalo mira a Kinich y detecta en él una pureza ancestral, una dignidad que es inmarcesible, porque no conoce la duda.

—Estoy cansado de luchar, Kinich.

—A los dioses no les complace el descanso de los hombres que son como tú y como yo. Ellos te han regalado la fuerza y la resistencia, no los decepciones. Ahora tu cuerpo prefiere callar, pero antes o después tu espíritu hablará por ti y entenderás que has nacido para el combate, que no descansarás hasta que terminen las injusticias del mundo.

—Tengo que recoger algo de leña. Tal vez quieras acompañarme.

Kinich acepta y los dos hombres caminan juntos hasta la linde de la selva con la playa, donde algunos árboles ya se han secado. Gonzalo ha aprendido deprisa a interpretar las confusas señales de la selva y a reconocer los misterios de su vida oculta; incluso se mueve junto al jefe de guerreros con su mismo respeto por el entorno.

—¿De qué tierras vienes? —pregunta Kinich.

Gonzalo mira a Kinich, luego dirige la vista hacia la línea del horizonte y, señalándola, le contesta:

—De muy lejos, en aquella dirección.

—¿Muy lejos? ¿Hay tierra al otro lado del mar? ¿A qué distancia? Tulum está lejos. Chichén Itzá más lejos todavía.

—¿Ves el final del mar, la línea recta que hay donde alcanza la vista?

Kinich asiente.

—Si la distancia desde donde nos encontramos hasta la línea del horizonte fuera igual de grande que mi mano puesta sobre el suelo…

Gonzalo extiende su mano junto al pie de Kinich, avanza cincuenta palmos y se incorpora.

—…Aquí se hallaría Tulum.

Gonzalo se incorpora y camina a grandes pasos en paralelo a la costa. Kinich mira con curiosidad cómo se aleja, hasta que más de doscientos pasos después se detiene, mueve los brazos y le grita:

—¿Puedes oírme?

—¡Sí! —contesta Kinich.

—¡Te hablo desde la casa de mis padres!

Semanas más tarde, Gonzalo finaliza la construcción de un instrumento musical similar a la vihuela de mano. Ha puesto un mástil con nueve trastes al caparazón de armadillo en el que encajó la tapa de madera y ha secado al sol cuatro cuerdas de distintos grosores hechas con tripa de venado. Fija con nudos las cuerdas en el puente y luego las tensa bien con toscas clavijas de madera, dos a cada lado. Puntea las cuerdas para comprobar sus sonidos y gira poco a poco las clavijas hasta afinarlas. Cuando el tono de cada una de las cuerdas le convence, toca algo parecido a una pavana.

Tres niños que pasan frente a la carpintería se sientan en el suelo a escuchar esa curiosa forma de hacer música, ya que en su tierra no existen los instrumentos de cuerda. Tras los primeros acordes, un buen número de personas se arremolina en silencio frente a la carpintería, cautivadas por el vibrante sonido que hace el extranjero al rascar unas cuerdas tensas sobre el caparazón de un armadillo.

Al finalizar la pavana, Gonzalo levanta la cabeza. A su alrededor se agolpan docenas de personas de todas las edades. Niños que le miran con admiración, viejos que empiezan a respetarlo, mujeres a las que no les importaría que ese hombre alto, de manos grandes y pelo en la cara, tocara música solo para ellas. Y también está Yxpilotzama, por delante de la multitud, junto a su madre.

—Princesa... ¿Queréis que toque algo de mi país para vos? —le pregunta Gonzalo.

E Yxpilotzama, a quien no se le permite mantener la mirada a los hombres, baja la cabeza en un sutil gesto de asentimiento y, por primera vez, le sonríe.

—Creo que esta folía puede gustaros.

Gonzalo toca las tristes notas de la folía y entona una letra aprendida en su juventud que habla de una añoranza sin consuelo. Yxpilotzama, aunque no entiende las palabras, siente que en ella se reproduce ese lamento, que la misma emoción se derrama sobre el hombre que canta y la mujer que escucha como lo hace la lluvia al caer sobre dos piedras iguales.

Esa tarde, Yxpilotzama se encierra en una habitación de la casa grande que es un pequeño santuario para honrar a la diosa Ixchel, la mujer del arco iris, aquella a la que un día ofrendará su propia sangre para que le permita abandonar el recinto de las vírgenes y entregarse a un hombre. Está frente a una pequeña talla de la diosa; la imagen es una réplica de la gran estatua de Ixchel, sumergida en el fondo de un cenote desde los tiempos de la lluvia que duró cuarenta días y cuarenta noches y trajo la gran crecida de las aguas, un santuario remoto al que se llega a través de cuevas anegadas y donde las mujeres de Chactemal cumplen el rito de llevar a los hombres con los que van a formar una familia. Iluminada por la luz de una vela, a la vez que recuerda la melodía triste que el extranjero hizo brotar del caparazón de armadillo, Yxpilotzama se sienta ante un tablero sobre el que hay un cuenco de madera, un tarro de miel de maguey, una raíz cortada y una vasija de agua. Vierte en el cuenco la miel, que se reparte por el fondo lenta y brillante, igual que el oro fundido; añade unas gotas de agua y ralla sobre la mezcla un trozo de la raíz; vuelve a añadir agua y lo remueve todo con un tallo verde. Lo hace con cuidado y vigila la exactitud de sus movimientos, como si la preparación formara parte de una ceremonia sagrada y, mientras lo lleva a cabo, repite diez veces un cántico ritual:

—Trascienden mis cantares, se extienden mis cantares por los grandes vientos. Tu masculinidad me incita. Ven, pasa sutilmente junto al venado. Ven a cruzar mi belleza. Ven a quitarme la virginidad. Ven a colocarte sobre lo placentero. Ven a atravesarme y con el líquido de tu miembro lubrica mi entrada. Ven conmigo hasta la décima capa del inframundo, donde el viento se desvanece. Donde se reunieron y se dispersaron los cantares.

Poco antes de que anochezca, Yxpilotzama se peina la melena, hace con ella dos largas trenzas que une sobre la cabeza formando un tocado y lo adorna con unas diminutas flores azules; no se pinta la cara, aún confía en la lozanía de su rostro; se coloca unas varillas de jade en las orejas: se viste con un manto liso y ceñido, del color de las avellanas, se perfuma la piel de los brazos con friegas de aceite de vainilla y, tras solicitar el permiso de su padre, va a visitar a Gonzalo con la compañía de dos de sus criadas.

—He venido a traerte este regalo. Es aguamiel. La he elaborado para ti en agradecimiento por tu música.

Gonzalo contempla a Yxpilotzama a contraluz, esbelta, descalza, hermosa en su tentadora femineidad.

—Muchas gracias, princesa. Es un honor aceptarlo. Podemos compartirlo. ¿Queréis pasar a mi casa?

—Las mujeres solteras no entran en las casas de los hombres.

—Pueden acompañaros las criadas.

—A veces usas las palabras de un loco. Eres extranjero y no conoces nuestras costumbres. Te disculpo por ello, lo que pides es imposible.

Yxpilotzama mira fugazmente el rostro de Gonzalo. Los jóvenes de su tierra se labran la cara a punta de cuchillo para fingir los estragos de la batalla y hacerse más atractivos para las mujeres, pero el rostro de ese hombre está surcado por las garras de un jaguar.

—¿Ves algo a través de ese ojo de piedra verde?

—Más de lo que imagináis.

—¿Y puedes ver si vendrán más de los tuyos?

Gonzalo percibe la inquietud de Yxpilotzama y duda si responder a esa pregunta, pero no se siente capaz de mentirle.

—Sí, vendrán más, y lo harán pronto.

—Y esos que vengan, tus hermanos, ¿nos harán daño?

—No si yo puedo impedirlo.

—Siempre hemos sabido que llegarían los hombres del mar. Nos lo dijo el chilán de las sierras de Mani, un viejo sabio que se comunica con los espíritus.

—¿Qué os dijo?

—Que nos vendrían a señorear unos extranjeros muy poderosos, que nos predicarían a su Dios y las virtudes de un palo que aplaca a los demonios.

—Yo no estoy aquí para predicar.

Yxpilotzama evita la mirada asimétrica e inquietante de Gonzalo y piensa que tal vez lleve demasiado tiempo en su presencia.

—He de marcharme ya.

—No os vayáis, por favor, permitidme hablar un poco más con vos.

—Debo obediencia a mi padre, y le prometí que no me retrasaría. Mientras una mujer vive en casa de su padre, no puede desobedecerle. Además, hoy se reúne el Consejo de los Diez.

—No es frecuente que los ancianos se reúnan.

—Mi padre los ha convocado en mi nombre. Les he pedido su consentimiento para que vayas conmigo a visitar el templo de Ixchel.

Gonzalo comprende el sentido íntimo de esa frase y advierte la inquietud juvenil de Yxpilotzama.

—En ese caso os deseo buenas noches.

—¿Buenas noches? ¿En tu tierra siempre os deseáis buenas noches o buenos días?

—Sí, es una forma amable de saludarse.

—Para mi pueblo todas las noches y todos los días son buenos, porque nos los regalan los dioses. Son las personas con sus actos quienes provocan que un día que amaneció como todos se transforme en malo. Nosotros nos saludamos así: yo soy otro tú.

—¿Y qué he de responder?

—Tú eres otro yo.

—Tú eres otro yo… ¿Qué significa?

—Cuando una persona se encuentra a otra, a un animal o a un árbol, es como si viera su reflejo, porque todos somos uno.

Gonzalo ve alejarse a Yxpilotzama acompañada de sus dos criadas, que bajan la cabeza y caminan un paso por detrás de ella. Le asombra que una mujer que ha crecido en la selva posea su elegancia y su mesura, que irradie tanta sensualidad y a la vez parezca inaccesible a los hombres. No hay nada más obstinado que la belleza, nada que prometa una mejor recompensa ni que empuje a más decepciones, y esa mujer, distinta a las de su tierra, adornada por esa vieja luz, le hace sentir que todavía puede reconciliarse con la vida.

Al amanecer, Yxpilotzama guía a Gonzalo a través de la selva; bordean las lagunas en las que se desperezan los flamencos, pasan junto a los árboles rojos en flor, entran en un cenote escondido en la espesura y descienden por una pendiente desbordada de maleza hasta la corriente de agua cristalina de su fondo. Siguen el curso de la corriente hundiéndose en ella un poco más a cada paso, el hombre detrás de la mujer, rendido a esa forma silenciosa de seducción, hasta que el curso de las aguas se hace subterráneo y deben detenerse. Allí, Yxpilotzama se gira hacia Gonzalo y mirándole a los ojos le pregunta:

—¿Confías en mí?

—Sí.

—Si entramos juntos no habrá vuelta atrás.

—No voy a arrepentirme.

—Entonces sígueme.

La princesa toma aire, se sumerge y se introduce en la negra oquedad de una roca a través de la que fluye un agua fría y oscura. Gonzalo la sigue atrapado por el deseo y la curiosidad, sin valorar el riesgo. Los dos bucean por un túnel en cuyo final se divisa una trémula luz azul y, después de algunas brazadas, desembocan en una amplia laguna subterránea. Ante ellos hay una gran estatua sumergida de la diosa Ixchel: una anciana sentada sobre sus piernas, abrazada a un conejo y con una serpiente enroscada sobre su cabeza.

Cuando emergen, Gonzalo comprende que se encuentran en un santuario anegado; una cavidad inmensa en el vientre de la tierra cubierta de vegetación e iluminada por la luz que se filtra desde el techo abierto del cenote. Nadan hasta la orilla de un promontorio de rocas y arena en cuyo centro hay un altar, alrededor del cual se acumulan docenas de vasijas ornamentales y montículos de joyas que son ofrendas para la diosa.

Yxpilotzama, con una reverencia, deposita sus pendientes en una de las vasijas; después se incorpora despacio, levanta la barbilla, cierra los ojos y deja caer su ropa. Su cuerpo desnudo irradia una luz húmeda que nace en los cientos de diminutas gotas de agua prendidas a su piel; se sacude el cabello ladeando un poco la cabeza, como si estuviera sola y hubiera olvidado el pudor, luego se pasa las manos por los muslos, por el vientre, por los pechos y los pezones endurecidos.

—Trascienden mis cantares —dice mirando a Gonzalo—, se extienden mis cantares por los grandes vientos. Tu masculinidad me incita. Ven, pasa sutilmente junto al venado. Ven a cruzar mi belleza. Ven a quitarme la virginidad. Ven a colocarte sobre lo placentero. Ven a atravesarme y con el líquido de tu miembro lubrica mi entrada. Ven conmigo hasta la décima capa del inframundo, donde el viento se desvanece. Donde se reunieron y se dispersaron los cantares.

Luego recibe a Gonzalo respirando hondo a través de los labios entreabiertos, cansada e impaciente a la vez, y mientras siente que su cuerpo es un dique a punto de desbordarse, rodea el cuello de su amante con los brazos y lo besa en la boca.

SEGUNDA PARTE
1519

Matab a cimez ceh tix mámá halalil.
(«No puedes matar al venado sin disparar flechas»)

UNO

Isla de Cozumel, febrero de 1519

Nahil camina contento y a buen paso por el estrecho sendero de la selva. Viste un pequeño taparrabos, muy ajustado a la cintura para que no se le mueva al correr, y calza unas sandalias gastadas que antes pertenecieron a su hermano. Su piel es de un matizado color canela, igual que la tierra mojada, y su rostro no muestra inquietud, ni siquiera apremio, sino una alegre fortaleza. Rodeado por la vegetación, ladeando un poco la cabeza al caminar, con su aro de madera tallada y su vieja pelota de caucho reblandecido bajo el brazo, transmite la impresión de acudir a una cita mágica e ineludible.

Entra en un claro de la selva, un espacio diáfano en el que tiempo atrás cayeron unos árboles de los que sus mayores aprovecharon la madera y donde allanaron el suelo para que pudiera ser cultivado. Por algún motivo que no recuerda, los adultos decidieron no usar ese terreno y de inmediato lo colonizaron los niños, que lo disfrutan con la misma secreta complicidad con que lo harían si fuera una tierra conquistada. Tiene la costumbre de jugar allí con algunos amigos de su edad; sin embargo, hoy se ha levantado temprano y ha decidido acudir sin compañía. Deja la pelota en el suelo y con un cordel de fibras ata el aro al tronco de un árbol; lo coloca en posición vertical, un palmo por encima de su cabeza, como ha visto que lo hacen los jóvenes guerreros cuando practican el *pok ta pok*[5]. Recoge la pelota y se aleja cinco pasos del aro. Mira su objetivo y siente que confluyen en él sus energías; ha aprendido que la convicción es el primer paso de cualquier triunfo y se siente capaz de conseguirlo. El aro es un poco mayor que la pelota, no parece un propósito sencillo hacerla pasar por su interior, pero sin permitirse dudar realiza un primer intento y golpea la pelota con su codo derecho, con un movimiento lateral del brazo. La pelota golpea el tronco del árbol y no entra en el aro. Sin un asomo de decepción, vuelve a recoger la pelota y regresa a su lugar de lanzamiento. Segunda tentativa, con el mismo movimiento: la pelota toca el aro, pero no entra. Esta vez ha estado muy cerca y esboza una sonrisa; ha visto a escondidas algunos partidos sagrados de pelota y sabe que hasta los mejores guerreros necesitan varios intentos para lograr un acierto, porque su propósito no solo exige talento, sino también el beneplácito de los dioses. Nahil aspira a convertirse en uno de esos guerreros, quiere que en el poblado lo admiren por su fuerza y su habilidad. Ahora solo es un niño de once años, pero si persevera, más adelante llegará un tiempo en el que su fama cruce las fronteras de los señoríos y participe en una competición de pelota en Uxmal o en Chichén Itzá, tal vez incluso sea él quien tenga allí el privilegio de vencer y purificarse, de ofrecer su cuello en sacrificio para liberar las siete serpientes en las que anidan los vicios del hombre. Mira el aro con fijeza y realiza un tercer intento. La pelota cruza el aire sin apenas girar sobre sí misma, al igual que los dioses tiran del sol y la luna y los desplazan a lo largo del cielo, y con la respiración suspendida observa cómo pasa a través del aro sin rozar sus bordes; un tanto perfecto.

5 Denominación maya del juego sagrado de la pelota.

Nahil se lleva las manos a la cara y salta de alegría, lo ha conseguido con solo tres lanzamientos; algunas tardes ha fallado veinte veces antes de lograr un acierto, y en más de una ocasión ha regresado a su casa de vacío, con la frustrante sensación de que el *pok ta pok* no era para él. Hoy es distinto, siente una revelación, es muy posible que haya iniciado el camino de los gemelos Hunahpú e Ixbalanqué, aquellos jóvenes dioses que bajaron al inframundo y vencieron en el combate más difícil de la historia a los asesinos de sus padres.

La pelota, al no encontrar ningún obstáculo, ha ido botando hasta la linde de la selva; cuando el muchacho recupera la calma y va a por ella, ve que un pequeño mono baja de un árbol y la atrapa.

—¡Eh, tú, ladrón! ¡Devuélveme mi pelota!

El mono lanza un grito estridente, discontinuo, como si se riera de él, le enseña los dientes y las encías y huye a pasos rápidos con la pelota bajo el brazo, hacia la profundidad de la selva.

El niño lo persigue entre los troncos de los árboles, aparta a golpes desquiciados los matorrales y las grandes hojas de palma; ha dejado el claro y se aproxima a esa parte de la isla donde el terreno se reblandece y se hace más seco porque empieza a estar invadido por hojas muertas y la arena de la playa. No puede perderlo de vista, ha de devolver la pelota a Xacín, su hermano mayor, no debe presentarse en el poblado sin ella, sabe que lo castigarán; el *pok ta pok* no es un juego para los niños y su hermano le ha dejado el aro y la pelota en secreto.

En ese instante se detiene. Hay algo sobre las aguas que le sobrecoge. Escondido detrás de una palma no puede dejar de mirar lo que le parecen edificios flotantes, la materialización de un prodigio atroz y majestuoso. Nahil mira absorto hacia el mar sin saber que tiene delante una flota de guerra española, sin intuir el presagio de que todo su mundo está a punto de desmoronarse; diez naos de tres palos y un bergantín, fondeados en la playa, encalmados, formando un santuario inexpugnable, una inmensa fortaleza sin cimientos de la que penden las armas de Castilla. Docenas de barcazas, mucho más grandes que las canoas de cedro que fabrica su gente para pescar, se acercan a la orilla con soldados armados con arcabuces y largas picas que portan el estandarte con la cruz de San Andrés en honor al hombre más poderoso del mundo, el rey Carlos de Castilla, León, Aragón y Navarra, soberano de los Países Bajos, rey de Nápoles y Sicilia y archiduque de Austria. En la playa hay un notable trasiego de soldados que levantan tiendas de campaña y ordenan baúles, cajas y toneles, que cortan maderas con sierras enormes y construyen un embarcadero.

En uno de los bateles los soldados han subido un hermoso caballo negro de pelo corto y brillante al que transportan encapuchado. El niño cree que ese animal es la encarnación de un dios del inframundo, desconoce con exactitud de cuál, pero por su tamaño, su aspecto y por venir del mar, diría que es uno de los doce dioses de la muerte. Cuando el batel toca la arena, un soldado le retira el capuchón y tira del ronzal para hacer bajar al caballo, que impaciente resopla, entra en el agua y sale con dos poderosos saltos de ella. Una vez en la playa se encabrita, sacude la cabeza a uno y otro lado, se libera del ronzal y en un alarde de potencia sale al galope por la orilla para detenerse mucho más allá, donde no hay nadie a su alrededor y se siente a salvo. Uno de los hombres regaña con autoridad al soldado y se acerca despacio al caballo con una manta, una silla y una correa. El animal desconfía y se aparta unos pasos mientras lo mira de soslayo, pero no huye, conoce bien a ese hombre y sabe que no va a hacerle daño. El hombre camina hasta el caballo, se detiene junto a él y le acaricia el lomo y el cuello, varias veces, en un medido vaivén que es un amable recordatorio de muchas otras caricias, como si se disculpara por haber permitido que esos otros lo hayan tratado con torpeza y necesitara volver a ganarse su confianza; luego le habla en voz queda, cerca de la oreja, y vuelve a acariciarlo en la frente; coloca la manta sobre el lomo, la alisa con cuidado, pone sobre ella la silla, fija las cinchas debajo de la barriga y le pasa la correa por el hocico y la cabeza hasta sujetarlo bien. El caballo se tranquiliza en su compañía y de vez en cuando resopla, pero no intenta huir. El hombre asegura la correa, se apoya en la silla y de un salto se encarama sobre el caballo, que mueve las orejas hacia atrás y se voltea obedeciendo el pequeño tirón de las riendas. Más atrás, los soldados ríen y aplauden mientras el jinete y su montura regresan al grupo. Es Alonso Hernández, uno de los capitanes de Hernán Cortés, su hombre de confianza y el mejor a lomos de un caballo.

Nahil no puede creer todo lo que está sucediendo entre la línea del horizonte y esa estrecha franja de arena donde nunca, desde que tiene memoria, había sucedido nada; ¿dónde se encontraban ayer los edificios flotantes, los hombres con vestimentas extrañas y ese animal fabuloso? ¿Y qué son esos largos palos que se proyectan hacia el cielo y esas telas inmensas que cuelgan de ellos, mayores que las que ha visto jamás? Contempla todo con una atención urgente y abrumada, mientras elucubra de qué forma describirá todo esto a sus mayores.

Escucha unas voces graves a su derecha, una conversación en un idioma que no entiende; al girar la cabeza ve acercarse a tres hombres altos y barbados que le parecen espectros, uno de ellos con el pelo amarillo, el color de los muertos, y todos con gorros y pecheras de un material extraño que brilla bajo la luz del sol igual que lo hace la superficie del agua. Cree que se dirigen hacia él. Tal vez lo hayan descubierto y quieran capturarlo. Si lo atrapan es muy posible que lo arrastren al inframundo. Siente miedo, retrocede unos pasos y se interna en la selva.

Ya no le preocupa la pelota extraviada, ni recuerda la hazaña de haberla hecho pasar por el aro al tercer intento, ahora no puede quitarse de la cabeza esa imagen siniestra de lo que le ha parecido una ciudad flotante, ni a los cientos de hombres barbados que han invadido su playa. Atraviesa el claro sin detenerse y enfila el estrecho sendero que conduce a su poblado. Debe avisar a su hermano Xacín y a los otros guerreros, todos han de saber que esos hombres y sus extrañas bestias han arribado a la isla.

Antes de llegar a su poblado atraviesa la granja del viejo Iktán, que está echando de comer a sus pavos.

—¿Dónde vas tan deprisa, Nahil? Asustarás a los animales.

—¡Márchate a la ciudad, anciano, rápido!

—Yo no quiero ir a la ciudad —contesta Iktán—. No me gusta, está llena de insensatos como tú. ¿Por qué debería ir allí? ¿Acaso has visto al jaguar?

—¡Los dioses! —grita el crío al alejarse—. ¡Han llegado los dioses por el mar! ¡Y uno tiene el pelo amarillo!

Iktán sonríe y prosigue con su tarea.

—Los dioses... —dice para sí—. Han llegado los dioses precisamente hoy y lo han hecho a nuestra playa. Es una pena que me encuentren tan desaliñado. Menudo chico. Es igual de enredador que su hermano. Los sacerdotes les han metido demasiadas fantasías en la cabeza.

Nahil se aleja aterrado y desaparece. Iktán niega con la cabeza, contempla el rítmico picoteo en el suelo de las aves y piensa que será un buen año, ya que todos los animales están sanos y rollizos. Otros inviernos, por algún motivo que desconoce, los pavos pesaban poco y las plumas no brillaban del modo habitual; pero este año es distinto, la puesta ha sido generosa y los ejemplares estupendos, cuando acabe el tiempo de crianza y los lleve al poblado para los sacrificios su Halach uinic[6] estará contento y lo premiará por haber criado unos pavos tan hermosos.

En ese momento los pavos dejan de comer y levantan las cabezas para otear a su alrededor con giros cortos y nerviosos de sus cuellos. Iktán lo percibe y escruta con fijeza a la selva. No es la primera vez que ve reaccionar así a los animales, y siempre ha sido por la cercanía del jaguar. Cuando retrocede,

6 Máximo gobernante de una jurisdicción maya.

pues sabe que si el jaguar está merodeando no podrá enfrentarse a él y lo más prudente será cederle alguno de los pavos, la maleza se rompe, pero de ella no surge el señor de la selva, sino tres españoles que se abren camino a golpes de espada.

Iktán se queda paralizado: el niño estaba en lo cierto.

El hombre rubio que avanza el primero es alto, arrogante, con los ojos azules, los dientes blancos y los pómulos bien perfilados; mantiene un gesto inexpresivo, atento a lo que le rodea, como si a cada paso tomara posesión del mundo. Es Pedro de Alvarado, otro de los capitanes de Cortés, el único no elegido para esa expedición por sus méritos, sino por ser sobrino del poderoso gobernador de Cuba, Diego Velázquez. Participó un año antes en la expedición que Juan de Grijalva hizo por la isla de Cozumel y la costa de Yucatán y, aunque había tenido no pocos problemas con él, conoce bien el terreno y Cortés lo aceptó en el grupo para beneficiarse de su experiencia. Los otros hombres que van con él son dos jóvenes soldados a sus órdenes, dos mentes simples y prácticas que, a pesar de sus limitadas capacidades, han encontrado en la obediencia ciega al superior una forma de vivir ventajosa y con ciertas comodidades.

—¿Quién tenemos aquí? —se pregunta Alvarado con jactancia— ¿Un laborioso granjero? El año pasado recorrí la costa oriental de esta isla y no vi granjeros. ¿Dónde está tu aldea?

Iktán se mantiene inmóvil. Es evidente que esos hombres no traen buenas intenciones. Se lamenta de no haber anticipado el peligro, pero ahora ya es tarde y debe afrontar la situación. Intenta controlarse. Lo cierto es que todavía no le han hecho ningún daño. Tal vez se conformen con algo de comida y bebida.

Alvarado hace un gesto a sus soldados. Estos irrumpen en el interior del cercado y asustan a los pavos, que graznan nerviosos.

Se acerca a Iktán, que no entiende castellano, pero que se mantiene atento a lo que le dicen para no provocar la ira de los recién llegados.

—Espero que no te importe que nos llevemos algunos de tus pavos para asarlos esta noche. Por cierto, te doy la enhorabuena, los has criado bien.

Alvarado pasea alrededor de Iktán.

—Y no es que me importe la opinión de un indio como tú. Aunque quisieras evitarlo, nos los llevaremos igual. Seguro que no me comprendes, pero las cosas están cambiando; a partir de ahora tú y los tuyos adquiriréis nuevas obligaciones...

Mira el cercado, señala con el dedo el perímetro, se asegura de que Iktán comprende su gesto y se señala después el pecho.

—... y nuevos amos.

Iktán no se reprime y se atreve a contestar en su lengua:

—¡Alejaos de aquí, demonios de lo oculto! ¡Volved por donde vinisteis!

Alvarado se ríe de la iracunda protesta del anciano, escupe al suelo y ordena a sus soldados que atrapen algunos pavos. Los soldados bromean entre ellos y persiguen con torpeza a los animales, que huyen frenéticos en todas direcciones. Un soldado cae al suelo entre las burlas de su compañero, se harta de la ridícula persecución, desenfunda la espada y de un mandoble le corta la cabeza a uno de los pavos. El anciano intenta evitar la matanza, pero el otro soldado lo detiene. Lo último que distingue Iktán es el rostro de ese hombre extranjero, tranquilo, quemado por el sol, que se acerca a él sin un asomo de cólera.

DOS

Los capitanes, calzados con botas altas de cuero y espadas en ristre lo esperan de pie, en la arena, en formación de dos filas de a cinco, indiferentes al entorno, como si encima de sus cabezas no hubiera un cielo desnudo, sino un dosel invisible que desde la tienda principal alcanzase la orilla.

Hernán Cortés tiene treinta y cuatro años, pero hace tiempo que no se considera un hombre joven, hace tiempo que se ve a sí mismo en la segunda parte de su vida, en esa precipitada trampa de la edad donde se deshacen los apegos terrenales y se abre paso la nostalgia; es un extremeño elegante, con ropa de terciopelo negro y cadena de oro, de mirada lúcida, cejas arqueadas y una cuidada barba que él mismo recorta casi a diario. Nació en Medellín en una familia de hidalgos, estudió leyes en Salamanca y Valladolid y a los diecinueve años se embarcó rumbo a La Española. En las Indias Occidentales aprendió las artes de la guerra durante la conquista de Cuba, donde alcanzó el puesto de alcalde en Santiago de Baracoa. Ganó algo de dinero con el trabajo de los indios de su encomienda y los derechos de una pequeña mina de oro; sin embargo, está lejos de ser un hombre de fortuna, ha gastado todo su capital en esta empresa: cada yegua que pudiera comprar, cada escopeta o saco de pólvora, podría resultar determinante en su propósito. Ahora que la barcaza lo va a dejar en tierra, escudriña desde la distancia uno por uno a todos sus capitanes y asume que todavía ha de ganarse el respeto de algunos de ellos; sabe que entre los hombres de mérito abundan las rivalidades y las suspicacias, y que antes de embarcar muchos ambicionaban su puesto. Comanda la tercera exploración que ha partido en los dos últimos años desde Cuba con la orden de colonizar las costas de Yucatán, se trata de la más numerosa; bajo su mando figuran quinientos ocho soldados, cien marinos, treinta y dos ballesteros, trece escopeteros, doscientos indios y negros, treinta y cinco caballos, diez cañones de bronce y cuatro falconetes; sus dos antecesores, menos pertrechados, no lograron más que éxitos parciales: Francisco Hernández de Córdoba, cuya expedición contó con tres barcos y cien hombres, se vio obligado a regresar malherido y acribillado a flechazos, después de una humillante derrota en la batalla que ellos mismos llamaron «La mala pelea», librada contra los indios de Champotón; Juan de Grijalva, mejor abastecido, con cuatro naves y doscientos cuarenta hombres, exploró con afán aquellas costas y vengó la derrota de su predecesor en Champotón, mas no consiguió fundar ninguna colonia estable.

Sobre el suave oleaje, la visión de la animada multitud de los hombres que trabajan en la playa no le aporta a Cortés mucho más que soledad. Calmado y sin malos presagios, su fe en Dios y su educación de hidalgo con aspiraciones le impiden creer en ellos, sabe que un fracaso en esta misión acabaría con su prestigio para siempre. Apenas están al corriente sus más allegados, pero el gobernador Diego Velázquez le cuestionó por escrito el mando de la expedición unas horas antes de la partida; él no acusó recibo de aquella carta, finalizó el aprovisionamiento en Santiago y en el puerto de Trinidad y pese a todo decidió zarpar. Prefirió el riesgo de la desobediencia a la comodidad de quedarse en Cuba. Nadie le reprochará nada si consigue tierras y oro para la corona, pero si no es así, el castigo pasará por el destierro o la cárcel. Cortés sabe que su fracaso le impediría regresar.

Percibe el olor de la leña quemada en las hogueras y escucha las voces de los mandos, los golpes de martillo y las aserradas. Esa isla ya ha empezado a cambiar: su costa ha renunciado a la sencillez y la intimidad para convertirse en el puerto más occidental del Imperio español; en poco tiempo, el sol dejará de alumbrar sin más la quietud de una playa virgen y verá pasar, uno tras otro, en su solemne lentitud, los negros cascos de las carabelas.

Cortés ha impartido unas órdenes muy claras a sus capitanes: el establecimiento de una base segura en la isla de Cozumel, a salvo de los indios de Yucatán, más hostiles y mucho más numerosos que los isleños. Desde este nuevo puerto, que Grijalva bautizara en su viaje como San Juan de Portalatina, él planificará las operaciones de conquista y colonización de las tierras de poniente.

No está libre de compromisos. Debe el puesto de capitán de esa armada a las intrigas en Santiago de dos hombres poderosos a los que no puede fallar: Andrés de Duero, secretario del gobernador, y Amador de Lares, contador del Rey; ha pactado en secreto con ellos dividir en tercios cuanta ganancia de oro, plata y joyas le corresponda; es el pago que ambos exigen por haber influido sobre Diego Velázquez. Sus hombres piensan que su misión es colonizar y favorecer la evangelización de Yucatán, y sin duda no tiene más opción que hacerlo, pero tampoco puede regresar a Cuba sin ganancias.

Prefiere no sentarse en la barcaza y viaja de pie, expuesto a la tranquila oscilación del casco al resbalar por encima de las olas; su silueta se proyecta como un fantasma sobre la cambiante superficie del agua, y siente con agrado en el rostro el aire tibio de la playa, como si ese mismo aire le hubiera aguardado desde siempre. Quiere examinar por sí mismo cada detalle de la orografía de la isla, cada corriente marítima, cada accidente de la naturaleza, no se permitirá desperdiciar ningún elemento que pueda emplear a su favor durante la exploración, porque sabe que el destino no le dará una segunda oportunidad, que será más grande de lo que es ahora o no será nadie, pues se ha convertido en un hombre que habita en los límites de su propia vida.

—Bienvenido a la isla de Cozumel, señor —le dice Alonso Hernández mientras extiende el brazo para ayudarle a bajar a la arena.

—Gracias, Alonso. Y también a vosotros, mis leales capitanes, por el recibimiento.

Al pisar la arena, Cortés se quita el sombrero emplumado, se arrodilla y se santigua. Reza un instante y se incorpora.

—Pedidle al capellán que organice una misa de campaña —dice mirando a su alrededor—. Debe escucharse pronto la palabra de Dios en esta isla. Mi mayor deseo es apartar a los habitantes de estas tierras de sus credos paganos y verlos dando gracias a Nuestro Señor Jesucristo por los bienes que de él reciben.

—Se hará como ordene vuestra merced.

Cortés saluda uno por uno a sus capitanes: a Cristóbal de Olid, natural de Linares, valeroso en la batalla y hombre fiel al gobernador; Diego de Ordás, zamorano, buen escribidor y mal orador, pues se le atragantan las palabras; Alonso Dávila y Francisco de Montejo, que participaron en la exploración de Grijalva; a su buen amigo Juan de Escalante, a Francisco de Saucedo, Juan Velázquez de León, Francisco de Morla y Gonzalo de Sandoval, el más joven de todos. Cruza impresiones con cada uno acerca del estado de sus naves y de sus hombres, y al terminar, satisfecho por cuanto ha oído y por la buena disposición de los capitanes a prestar su esfuerzo, los libera de obligaciones con él hasta la hora de la cena. Luego se queda a solas con su inseparable Alonso Hernández y los dos pasean por la playa, mientras una bandada de gaviotas grazna con estridencia y algunas planean curiosas y descaradas sobre los recién llegados; ellos alzan la vista y las observan elevarse sin esfuerzo, empujadas por las corrientes más ligeras, precipitarse en picados imposibles e inclinar el perfil de las alas para que el aire las frene antes de llegar al agua.

—Querido Alonso —le dice Cortés a su amigo aferrándose a su brazo—, cuánto me alegra tenerte aquí conmigo.

—No podía ser de otro modo.

—Nos esperan muchos días difíciles.

—Que afrontaremos juntos.

—Como en Santiago de Baracoa.

—Y como en Medellín, cuando de niños soñábamos con hechos de armas.

—¡Lealtad, devoción…!

—¡Y rectitud!

Los dos se detienen y sonríen al compartir sus recuerdos.

—Cuánto vamos a necesitar de todo eso —añade Cortés—. Te he apartado del grupo porque hay algo que me preocupa y que has de saber: Diego de Ordás me hizo llegar una carta del gobernador, la recibí justo antes la partida.

—¿Malas noticias?

—Malas al menos para mí.

—¿Os revocaba el mando?

—Sin duda era su intención, mas no lo expresaba con claridad. Me pedía que retrasara un par de semanas el viaje, quería pasar revista a las naves antes de que nos hiciéramos a la mar.

—No tiene por costumbre salir de su hacienda.

—Ni ser directo.

—¿Quién lo sabe de los que nos encontramos aquí?

—Alonso Dávila, Juan de Escalante y ahora, tú.

—Los tres somos de confianza. ¿Y Ordás?

—Desconozco cuánto sabe. Me dio la carta lacrada y sin hacer comentarios.

—Es ambicioso, pero de momento no tenemos indicios contra él. Si conoce el contenido de la carta callará mientras piense que puede obtener beneficios a vuestro lado.

—Dime, querido amigo, ¿cuál es la situación en la isla?

—Los dos primeros barcos llegaron por la banda norte hace un par de días. Nos dicen que la isla no es demasiado grande, algo mayor que la de Ibiza, con largas playas de arena blanca, manglares, aguas subterráneas, arrecifes en el sur y mucha selva y matorral, sin montañas altas, solo algún cerro; la pueblan varios grupos de indios pacíficos.

—¿Quién lo dice?

—El capitán Pedro de Alvarado.

Cortés mira a su alrededor con disgusto.

—¿Dónde se halla? Le ordené a ese imprudente que no desembarcara hasta la llegada de toda la flota. Debían esperarnos en la Punta de San Antón para que se uniesen los once navíos.

—Lo cierto es que no aguardó a nadie.

—Ha arriesgado sin necesidad dos barcos y cincuenta hombres.

—Su naturaleza es díscola, señor.

—Lo sé. Ocasionó problemas a Grijalva.

—¿Pensáis reprenderlo?

—Sería lo justo.

—No nos conviene enemistarnos aún más con su tío el gobernador.

—No peques de inocente, Alonso. ¿Crees que Diego Velázquez no conoce los alardes de su sobrino?

—Seguro que sí, pero hay quien posee el mal hábito de disculparle todo a los de su sangre. Mirad, por ahí viene.

Pedro de Alvarado ve a Cortés y se dirige hacia él para saludarlo. Su rostro no muestra recelo, ni tampoco preocupación. Él y los dos soldados avanzan sonrientes con los pavos robados a Iktán, con el mismo orgullo simplón del niño que regresa de cometer una travesura.

—¡Don Hernando Cortés! Bienvenido a esta tierra paradisiaca y generosa con los hombres de bien. Mirad que pavos asaremos esta noche en vuestro honor.

—Gracias, Alvarado. Sin duda son hermosos. ¿De dónde salen?

—Los cría un viejo indio, selva adentro, a poco más de media legua de aquí.

—¿Y qué le habéis dado a cambio?

—¿A cambio? No entiendo.
—¿Qué le habéis pagado por sus animales?
—Nada, señor, no ha sido necesario… era un indio, un viejo generoso… podríamos decir, sin temor a equivocarnos, que nos los ha cedido.
Sus soldados ríen la gracia.
—No estamos aquí para la rapiña, Alvarado, aunque tú y los que vienen contigo creáis lo contrario. Si tal y como parece los indios son pacíficos, negociaremos con ellos y les permitiremos prosperar. Vamos a establecer una base permanente en la isla y no nos interesa que se pongan en nuestra contra. Alonso, encárgate de que compensen al indio.
—Así será —dice Alonso—. Si lo han dejado vivo.
—Vosotros dos, terminad la tarea y llevad los pavos al cocinero —dice Cortés a los soldados—. Nos los cenaremos, ya que no van a resucitar. Alvarado, permanecerás detenido en la bodega de tu barco. Tu pena serán dos días de calabozo.
—¿Dos días de calabozo? ¿Por unos pavos?
—No. Por unos pavos, no. Los pavos me importan lo justo para comérmelos. Por desobedecer a tu superior y desembarcar antes de que yo llegara. Mis órdenes eran concretas.
—Señor, yo no sabía con qué retraso venía vuestra merced. Os esperamos, pero ni siquiera se divisaban las velas. El piloto siguió la derrota que se le había marcado, pues amenazaba mal tiempo. Una vez en la costa desembarcamos porque conocía ya la isla de mi viaje el año pasado con Juan de Grijalva. Por mi honor que no se hallaba en mi ánimo desobedecer ni he puesto naves ni hombres en peligro. Antes me colgaría de un árbol que…
—Silencio —dice Cortés sin levantar la voz, como es su costumbre, mirando sin pestañear a los ojos de Alvarado—. Sé de la fama que ganaste en la expedición de Grijalva y tu inclinación a actuar por tu cuenta. Cometes un error si piensas que en esta expedición camparás por tus fueros. No estás aquí porque yo te eligiera, sino porque me lo pidió tu tío el gobernador de Cuba y no me encontraba en disposición de

negarle nada; a partir de ahora te comportarás como un oficial y no volverás a dejarlo en mal lugar. ¿A quién traías de piloto?

—A Camacho.

—Queda preso también. Conocía mis órdenes igual que tú.

Esa noche, una densa mole de nubes sumerge la playa en una negrura sin márgenes. Desde el campamento no son capaces de ver el perfil de los barcos, ni mucho menos la línea de costa, solo adivinan la situación de las naves más cercanas por el brillo escuálido de sus linternas de posición y por el chapoteo intermitente de las olas sobre los cascos. Cuando los hombres de la guardia miran en dirección al mar, creen hacerlo al interior de una cueva.

Hay diez hogueras sobre la arena de la playa, no muy distantes unas de otras; los hombres cenan y reina un animado trasiego de cortezas de tocino de cerdo, trozos de carne asada y botas de vino de Canarias. En una de las hogueras se juntan varios soldados con instrumentos musicales: un par de vihuelas de mano, otra de arco, un corneto y una chirimía; tocan y cantan canciones populares que hacen soñar a los hombres con el lejano ambiente de sus hogares, con las amables noches de verano en Castilla.

Alrededor de otra de las hogueras se sientan Cortés y sus capitanes; en el fuego se asan dos pavos que parecen pintados de amarillo por el resplandor trémulo de la lumbre, como si los pellejos estuvieran bañados en azufre. La piel desplumada de las aves se retrae por el calor, rezuma la grasa y forma pequeñas burbujas que estallan entre las pavesas como volcanes diminutos.

—Si lo hubierais visto no podríais olvidarlo —dice Francisco de Montejo mientras recorre con la mirada a sus atentos compañeros—. Había cadáveres por todas partes, y heridos tan cubiertos de sangre que parecían espectros. No disponíamos de tiempo para recargar los arcabuces, nos defendíamos de las flechas y de las lanzas a golpes de espada, pero esos enemigos de Dios se movían con la agilidad de las arañas, en todas las direcciones, y gritaban igual que animales salvajes. Muchos murieron ese día. Cuando disparamos la primera descarga de arcabuces se desplomaron de una vez ocho de ellos, pero los demás no se asustaron y se arrojaron sobre nosotros entre alaridos. No lo podíamos creer, os aseguro que esos indios no temen a la muerte, ni al dolor; cuando aproximamos los barcos a la costa de Champotón para disparar los cañones, montaron en canoas de a cuatro para flecharnos, porque desde la arena no nos alcanzaban. Con el vaivén de las olas no apuntaban bien, las flechas apenas alcanzaban el casco sin dañarnos y les disparábamos con los arcabuces y las escopetas desde la cubierta, todos alineados, apoyados en la baranda, como si fuéramos aprendices de milicia que tiran a las dianas. Al final matamos más de doscientos, incluyendo a su cacique; y esto es lo más importante que quería explicaros: al ver que moría su cabecilla el resto huyó a la selva y abandonaron la ciudad. Estos pueblos siguen a su cabecilla como si fuera un dios y se rinden si se le mata. No lo olvidéis. Sufrimos siete bajas y sesenta heridos, entre ellos Juan de Grijalva, que se llevó tres flechazos.

—¿Cómo era la ciudad? —pregunta Gonzalo de Sandoval.

—Extraña. Inquietante. Muy distinta a cualquiera que hayáis conocido. Muchas casas de muros redondeados, sin ventanas, cada una con su pequeño solar y su huerto. Un gran edificio de piedra rodeado por canales de agua, muy alto, de base cuadrada y que se eleva por graderías, con un ídolo arriba al que dos animales le comen las ijadas y otra estatua que es una gran serpiente que lucha con un león. Todo ennegrecido y manchado por la sangre.

—¿Hasta ahí llegó la batalla?

—No. Era sangre vieja, de sacrificios humanos. Preguntadle al indio Melchor si no me creéis. Él nos lo contó, vivió en esa ciudad de perturbados hasta que lo capturó Francisco

Hernández de Córdoba. En esos templos los sacerdotes sacan el corazón a sus enemigos mientras aún viven, a la vista de todos, en una especie de altar que ponen encima de sus pirámides. A veces enloquecen y sacrifican a cientos en un solo día. Lo hacen para celebrar el final del año de su calendario, el cambio de estaciones o para solicitar alguna merced a sus dioses.

—Frena tanta locuacidad, Montejo —interrumpe Cortés—. Hemos oído otras veces esas historias que cuentas y ninguno sabemos si son ciertas. No olvides que ese indio al que llamáis Melchor, aunque recibió el sacramento del bautismo, es uno de ellos; tal vez quiera asustarnos, y a juzgar por vuestras caras lo ha conseguido. Atemorizar al enemigo es una estrategia tan antigua como la guerra. No me extrañaría que la sangre que visteis sobre aquellas piedras fuera de animales. Dejemos ya este asunto. Prefiero que esos rumores no lleguen a la tropa.

Cortés hace un gesto al soldado de guardia y este se acerca.

—¿Capitán?

—Libera a Pedro de Alvarado y a su piloto. Que el capitán venga a sentarse con nosotros.

Cuando el soldado se aleja, los capitanes se miran con cierta incomprensión. Alonso Hernández se atreve a dirigirse a Cortés:

—¿Magnánimo tras el primer error?

—Así es.

—Tratándose de Alvarado —insiste Alonso—, pronto habrá un segundo error.

—¡Y un tercero! —exclama Juan de Escalante, con lo que todo el grupo rompe en una sonora carcajada que alivia la tensión creada por el relato de Montejo.

—Lo sé. Y sé también lo que pensáis de él —dice Cortés—, es probable que con razón. Pero ninguno de entre nosotros puede negarle su bravura, y no nos hallamos en condiciones de prescindir de un valiente.

Da un bocado a su jugoso trozo de muslo de pavo y añade:

—Y menos si es un valioso cazador de pavos.

Los hombres vuelven a reír, comen y se pasan las botas de vino con buen ánimo los unos a los otros.

El grupo cuenta con cierta armonía, la suficiente para moderar las ambiciones particulares mientras no surja una encomienda o una mina de oro por las que competir. Saben que avanzarán juntos, que construirán desde la nada y que todo lo que logren será una proyección de ellos mismos, de su entusiasmo, de su aliento y de la fuerza de su carne, que uno solo sería insignificante en aquella parte del mundo, apenas un puñado de prejuicios en el minúsculo reducto de su alma.

Cuando aparece Pedro de Alvarado cesan las bromas un instante y el grupo calla. El sobrino del gobernador saluda con un breve gesto de agradecimiento a Cortés, se sienta entre Francisco de Saucedo y Cristóbal de Olid y acepta en silencio el trozo de pechuga asada que le ofrecen.

—Montejo —dice Cortés rompiendo el incómodo silencio—. Mañana viajarás con Francisco de Morla a solicitar audiencia en mi nombre al cacique de esta isla. Buscadlo bien, es probable que sepa de nuestra presencia y que se haya escondido en la selva. Hay mucho que negociar con él y no voy a perder el tiempo ni a repetir los errores de quienes nos precedieron. Os acompañarán diez soldados, dos arcabuceros y el indio traductor. Decidle que no nos teman, que no buscamos la guerra con ellos. Sed amables, ofrecedles regalos, ya sabéis a lo que me refiero: cuentas de collar, cascabeles, blusones, caperuzas, cualquier bagatela que se os ocurra.

—¿Y si no aceptan, señor? —pregunta Montejo.

—¿No eras tú el diplomático? Usa la diplomacia. Demuéstrales cómo funciona un arcabuz.

TRES

Tiene las cejas finas y bien dibujadas, en una actitud de serena contemplación, la mirada atrapada en el infinito y la cabeza un poco girada hacia la izquierda, como si escuchara. Su rostro no denota piedad, ni conmiseración, acaso una ligera sorpresa. Habita un mundo apático, silencioso, insensible a la presencia de las armas y a la contemplación de esos hombres que se agolpan a su alrededor, igual que si ella pudiera ausentarse de la perturbadora realidad de los soldados y regresar al interior del tronco de nogal de donde brotó a golpes de azuela y de gubia ochenta años atrás. Aquel artista sin fama recibió un encargo del obispo y la talló en una sola pieza, excepto la cabeza y las manos, que por su dificultad hubo de trabajarlas aparte; luego impregnó la talla con cola de conejo para obliterar los poros y sellar las pequeñas fisuras que pudieran convertirse en asiento de los huevos de la carcoma, la cubrió con varias capas de yeso y, después de que se secaran, policromó el rostro con carnaciones de pulimento, más intenso en los pómulos, el cabello con siena tostado y las vestimentas con motivos vegetales en colores discretos y tonos oscuros, como la tierra verde y el rojo de cinabrio, propios de su elevada majestad. Por último, doró la corona de diez puntas con delicadas láminas de oro fino, puestas una a una y bruñidas con piedra de ágata. Cuando terminó, miró su obra sin vanidad, a cierta distancia, con los ojos de alguien que, llevado por su devoción, la visitara un día cualquiera en la iglesia; mas no reconoció en ella el aliento de lo divino, ni le pareció un buen ejemplo de maternidad, tan solo era una mujer normal con un disfraz elegante. Le dio un golpe de martillo que le arrancó un dedo y decidió no enseñársela a nadie y ocultarla esa misma noche en un lienzo de la muralla.

—Esta es la imagen de Santa María, la Virgen Madre de Dios —dice Cortés—. Tallada y bendecida en nuestra patria, en la ciudad de Sevilla, hace ya muchos años. Vio la luz de forma milagrosa, cuando se desplomó una parte de la muralla vieja, y desde ese día la veneramos. Es el mejor entre los regalos que hacemos a vuestra merced. Nada de lo que traemos vale más, ni siquiera todos los barcos juntos y las cargas de sus bodegas. Bajo su serena protección unos y otros viviremos en paz en esta isla de Cozumel y prosperarán nuestras haciendas. La depositaremos en vuestro templo, al que tenéis por mayor, quitaréis de allí los falsos ídolos que habéis adorado y que arriesgan la salud de vuestras almas y situaréis a la Virgen en el lugar principal, para que podamos rezarle juntos y solicitar su intercesión. Ella hará que nuestras buenas acciones en la Tierra resuenen también en el Cielo... Traduce, Melchorejo.

Melchorejo, así llaman los españoles al indio Melchor, es uno de los dos indígenas bautizados que Francisco Hernández de Córdoba capturó en su expedición por el norte de la península de Yucatán, en el señorío de Ekab. Ha servido durante dos años con los españoles en Cuba y ha aprendido bien el castellano, aunque no lo domina como para traducir todo el discurso de Cortés. Le confunde que una madre sea virgen y esa parte no la traduce, desconoce qué es un milagro, ni una intercesión. Se dirige con respeto al Halach uinic, el cacique de Cozumel, para explicarle que si quieren la paz con estos recién llegados, deberán retirar los ídolos del templo mayor, pues aunque ellos y sus padres lo hayan creído durante muchos años, esas imágenes no representan a los dioses, sino a maldades que condenan al infierno, y que deben poner la imagen de esa mujer con corona, que se llama Santa María y que es la madre de un dios más poderoso que los suyos, tan fuerte que con un único gesto los aplastaría.

El cacique le pregunta a Melchor por qué ese dios tan poderoso permite que a su madre le falte un dedo. El indio no traduce y le contesta que se lo rompió un demonio del inframundo al subirla al barco.

—Melchor —dice Cortés—, ¿acaso no te trato bien?

—No comprendo, señor.

—Eres un hombre con privilegios, más que ninguno de tu raza. Comes caliente a diario y no duermes en el suelo, sino sobre un saco mullido.

—Y yo contento por eso.

—Tu misión es muy concreta y debería resultar sencillo para ti cumplirla con eficacia, sin embargo, me rumio que no traduces todo lo que digo.

—Palabras mayas más cortas que las castellanas y sonido distinto, señor.

—Más cortas, afirmas. Lo comprobaré en cuanto tenga ocasión y espero que así sea, porque si sospecho, aunque sea por un instante, que tu lealtad flaquea, ordenaré que te corten la lengua y que se la echen a los perros.

—Nunca traidor a mis amigos castellanos —dice Melchor mientras junta las manos y se postra de rodillas—. Me dejaría quemar vivo antes que cometer ese pecado. Yo agradecido a vuestra merced. Mucho.

—Bien. Es cuanto quería oír. Recuérdale al Halach uinic —insiste Cortés—, que solo pedimos dos condiciones para mantener la paz y respetar sus vidas y sus haciendas: que todos reciban las aguas del bautismo para convertirse en católicos y abrazar la fe en Cristo y que reconozcan la autoridad suprema en la isla del rey de las Españas, a quien represento.

La mirada de Cortés no admite interpretaciones y Melchor traduce al maya esa última frase sin desvirtuarla. El cacique gira la cabeza a su derecha; su esposa mueve con curiosidad un cascabel de llamada de ángel cerca de su oreja, fascinada con su sonido agudo y delicado; luego mira a su izquierda, donde los ancianos le devuelven un gesto de contenida impotencia. Todos han visto ya los caballos, los edificios flotantes y han asistido en la playa, con un espanto difícil de contener, a una demostración de doma y a otra, si cabe más fabulosa, del funcionamiento de un arcabuz: un hombre corpulento y con el pecho brillante que manejaba esa extraña lanza agujereada había reventado una papaya a diez pasos de distancia, sin tocarla, provocando solo un ruido atronador y una nube de humo. Muchos han empezado a asumir que los dioses de esos recién llegados sean más poderosos que los suyos. Ya lo han intuido en otras ocasiones, han visto a dioses de pueblos pequeños desaparecer tras morir sus adoradores y piensan que algunos dioses pueden no ser eternos y sucumbir ante la magia de otros más fuertes.

—Bienvenida sea la paz con quienes vienen del otro lado del mar —afirma el cacique con largas pausas entre sus frases para que el indio Melchor traduzca—. Debéis de ser hombres muy principales en vuestra tierra y muy queridos por vuestro dios para poseer armas que escupen fuego y animales prodigiosos que os obedecen. No queremos enojaros a vosotros ni despertar la ira de ese dios del que nos habéis hablado; podéis mojarnos las cabezas con esas aguas benevolentes que traéis y hoy mismo colocaremos la imagen de esa destacada mujer en el templo mayor.

—Habláis con palabras amables y juiciosas, Halach —contesta Cortés—, dignas de un gran gobernante; traerán la paz y una larga bonanza para vuestro pueblo. Se las comunicaré por carta a nuestro señor el Rey Don Carlos tan pronto como me sea posible. Os dejaré un documento con mi sello, para que cuando nos marchemos se lo enseñéis a cuantos españoles arriben en el futuro a vuestra costa, así comprenderán que estáis bautizados, que sois nuestros compatriotas y que no os deben causar ningún daño.

—Mi pueblo vive en paz con todos nuestros vecinos desde los tiempos del gran diluvio. No hemos querido nunca la guerra, ni deseamos tener enemigos. El mar nos ha protegido hasta ahora y siempre hemos entendido que su presencia constituía un motivo suficiente para estar agradecidos. La isla es grande y generosa: produce muchos frutos y buena caza, podemos compartirla. Confiaremos en vosotros y de la misma forma vosotros también confiaréis en nosotros: nunca os haríamos a vos o a vuestros valientes acompañantes lo que los cocomes hicieron a aquellos otros castellanos en el Mayab.

Cuando Melchor traduce, Cortés se sorprende y mira a sus capitanes, que no entienden qué es lo que ha querido decir.

—¿A qué castellanos os referís, Halach? ¿A los que vinieron hace siete meses al mando de Juan de Grijalva?

Al oír la pregunta traducida, el cacique mira con desconcierto al indio Melchor, que se encoge de hombros.

—Lo que os cuento no sucedió hace unos meses, sino hace ya mucho tiempo; unos cuantos hombres barbados que también afirmaban ser castellanos y que vestían ropa similar a la vuestra llegaron a la costa del Mayab en una gran barca. Eso fue al otro lado del Mar Estrecho. Los cocomes que habitan la tierra de Ekab los capturaron, algunos fueron sacrificados a los dioses en la fiesta de los días aciagos. Otros escaparon.

—¿Sobrevivieron? ¿Sabéis dónde se encuentran?

El cacique mira a uno de sus acompañantes y se dirige a él:

—Tú estabas allí, Kabil, cuéntales lo que conoces.

Kabil, un indio enjuto, seco, de piel oscura y fruncida, que se mantiene en pie en una inverosímil postura encorvada, se adelanta dos pasos e inicia su relato:

—Fue hace casi ocho años. Solo dos hombres sobrevivieron…

Al día siguiente Cortés ordena a Diego de Ordás que organice una expedición en busca de esos dos castellanos. Ni él ni ninguno de sus capitanes recuerda a qué naufragio se referían, pero ese hombre delgado con voz fantasmal y ademanes de marioneta quebrada ha ofrecido los suficientes detalles como para dar verosimilitud a la historia. Ha descrito las empuñaduras de las espadas que dejaron en la barca, sus ropas, algunas piezas de las armaduras y un pequeño libro de horas que portaba uno de los prisioneros.

—Toma dos naves —dice Cortés—. Una nao con cañones y el bergantín. Reparte entre ellas diez escopeteros y diez arcabuceros. Cuando los encuentres no regatees, paga por ellos lo que pidan, para sus dueños solo tendrán el valor de unos esclavos. No aceptes una negativa. Sería deseable que no usaras las armas de fuego; a vuestro regreso bordearemos la costa y tarde o temprano nos enfrentaremos con ellos; no nos interesa prevenirlos. Quiero a esos dos hombres con nosotros.

—Se hará co... como ordena vuestra merced —responde Ordás, que se suele atascar al pronunciar la primera consonante oclusiva.

—Deja la nao anclada en la Punta de Catoche y usa el bergantín para ir y venir con noticias si fuera necesario.

—Pa... parece que la mar se halla en calma y con buen viento. No tardaremos más de tres horas en cruzar el estrecho. Luego en tierra nos llevará dos días para ir y otros dos para retornar. Si todo sale bien, regresaremos en cinco días.

—Quiera Dios que sea así, pero nosotros no conocemos el terreno, ni siquiera la exploración de Grijalva pasó por allí. ¿Qué piensas, Alonso?

—La prudencia aconseja calcular siete u ocho días —contesta Alonso—. Surgirán imprevistos. Y tampoco podemos fiarnos de estos indios.

—Sabré tratar a los indios, señor, llevo mucho aprendido en la milicia acerca de haraganes y embusteros.

—Conforme —dice Cortés—. Tienes una semana. Si al amanecer del octavo día no estáis de regreso, continuaremos la expedición sin vosotros.

Cortés se quita el sombrero y seca el sudor de su frente con un pañuelo. Hace mucho calor, la humedad es alta y están en febrero; no quiere pensar lo que les espera cuando llegue el mes de julio. Mete la mano entre sus ropas y saca una carta lacrada.

—Toma, Ordás, llévales esta carta escrita de mi puño y letra. Conviene que nuestros compatriotas sepan quiénes somos y a qué hemos venido.

Ordás coge la carta y la guarda en su faltriquera. Saluda con respeto a Cortés y estrecha los brazos de Alonso Hernández.

—Suerte, querido amigo —le desea Alonso—. Traed a esos dos castellanos de vuelta. Tendrán mucho que contarnos.

—Po... pondré todo mi empeño en conseguirlo.

—Estamos seguros de ello —dice Cortés.

Ordás agradece los buenos deseos de Cortés y de Alonso, saluda de manera marcial y parte decidido hacia el embarcadero, que los zapadores han terminado de construir. Los dos hombres quedan a su espalda, viendo cómo el indio Melchor y seis guerreros mayas cedidos por el cacique aguardan a que el capitán pase junto a ellos para después acompañarlo.

—Cuánto le cuesta hablar al de Castroverde, con lo bien que escribe —dice Cortés.

—Mi padre contaba que los tartamudos son villanos con un freno en la lengua.

—Arriesgamos dos barcos, cuarenta hombres y a uno de los mejores capitanes. Espero no equivocarme.

—¿Por qué habéis elegido a Ordás? ¿No habría sido mejor confiarle esta misión a Dávila o a Montejo?

—Antes o después debía ponerlo a prueba.

—Si conoce las órdenes del gobernador para vuestra merced podría dirigirse a Cuba, informarle de lo sucedido y arruinar la exploración.

—No te preocupes. Viajan con él Bernal Díaz y dos pilotos de mi confianza. Aunque lo intentara, Ordás nunca llegaría a Cuba.

CUATRO

Esa noche Cortés no duerme. En los últimos meses le ha sucedido en varias ocasiones: al acostarse le asalta algún pensamiento insidioso que vuela dentro su cabeza de la misma forma que una polilla lo hace alrededor de una vela, en una espiral sin sentido que se acelera cuanto más se aproxima a la luz; él lucha por apartar a la polilla del centro de su conciencia para descansar, la sustituye por asuntos de menor trascendencia o se recrea en recuerdos agradables, sin embargo su esfuerzo resulta inútil: el pensamiento parásito seguirá allí toda la noche, pegado a sus sesos como el musgo a la roca. A veces cede a la vibración interna del insomnio, se levanta, vuelve a vestirse y sale de ronda por el campamento, más para sentir el aire fresco de la noche en la cara que para comprobar si los centinelas permanecen es los puestos encomendados, pues sus hombres lo conocen y saben que no permitiría semejante falta. Esa noche no lo hace, porque en su interior se agita una tormenta sin resolver; en los últimos años había aumentado el número de sus amigos, cada vez eran más los que le admiraban, los que confiaban en él y creían en sus planes de extender los límites de la Nueva España en las tierras sin explorar, más allá de lo conocido, donde ningún cristiano ha pisado aún. Pero de la misma forma que algunos proclamaban que era un príncipe sin estado, sus enemigos proliferaban, y el más poderoso de todos ellos, el gobernador Diego Velázquez de Cuéllar, podría meditar ahora mismo la forma de hundir su empresa. Aborrece todo en ese hombre: su forma petulante de hablar, sus andares de gallina clueca y su mirada esquiva, y sobre todo, esa estúpida suficiencia que emana de quien ha sido elevado por otros a un puesto de poder y aprovecha esa ventaja no para dar a sus subalternos nuevas oportunidades, sino para enriquecerse más allá de cualquier ambición razonable. Era cierto que acompañó a Cristóbal Colón en su segundo viaje y que lideró con buen pulso a los españoles bajo su mando en la conquista de Cuba, pero eso no le confería el derecho a disponer a perpetuidad de las voluntades y haciendas de todos como si fuera un rey. Cortés sabe que si hubiera permanecido un día más en el puerto de Santiago, si hubiera tolerado la anunciada visita del gobernador y ese hombre de avaricia desmedida hubiese visto la flota que él había preparado con tanto esfuerzo, la envidia que le pudre el corazón desde que se conocieron le habría apartado del mando. El gobernador, que apenas había aportado un tercio del dinero necesario para la expedición, no habría consentido de modo alguno que una flota tan bien pertrechada se hiciera a la mar sin someterse a sus órdenes. Diego Velázquez posee el poder y el crédito de la corona, mas fue Cortés quien concibió cada detalle de la empresa, quien empeñó hasta el último real y el único con el valor, la fuerza y la determinación para sacarla adelante. El motivo de su inquietud se relaciona más con lo que ha dejado a la espalda que con los retos del porvenir, pues todos somos rehenes de nuestras culpas y Cortés sabe que, con justicia o sin ella, a los ojos del rey habrá desobedecido a un superior al adelantar la partida, por más que pretenda compensar ese hecho dibujando el alma de su rival como una emponzoñada reunión de todos los vicios del hombre. Ahora teme que no pueda limpiar su insubordinación por grande que sea su éxito.

No quiere recrearse en esa idea funesta, apoya la cabeza en el almohadón y durante un momento cierra los ojos e imagina que ha llegado a una de esas grandes ciudades indianas de las que tanto le habla Francisco de Montejo. No ve casas redondas en ella, ni ninguna pirámide, en realidad no le resulta distinta a las extremeñas: un laberinto de calles estrechas con sus casas encaladas que confluye en una plaza mayor, de forma cuadrada y presidida por un edificio de piedra cenicienta que le recuerda a una iglesia, aunque no exhibe ninguno de los símbolos de la cristiandad. Las calles están vacías, sin una sola persona; cerca de él, un perro tumbado a la sombra le ignora, y sobre su cabeza pasan algunas bandadas de pájaros que proyectan su sombra huidiza en la arena mientras el sol de mediodía lo ilumina todo con una paciencia de siglos. La luz reflejada desde los cristales y las rejas metálicas le deslumbra y no puede ver con nitidez, escucha un rumor de conversaciones lejanas a su espalda y sospecha que algunos de sus hombres se confabulan para traicionarle. ¿Quiénes serán? ¿Cristóbal de Olid? ¿Juan Velázquez de León? ¿Pedro de Alvarado? Hace algún tiempo que recela de los tres, aunque no disponga de más argumentos en su contra de los que aportan un rumor de taberna o una mirada aviesa. Tal vez alguno de ellos recibiera antes del viaje instrucciones secretas del gobernador. Se gira y la intensa luz no le permite distinguir a nadie. Cruza las puertas abiertas del edificio que preside la plaza, le alivia el aire fresco de su interior y camina por el centro de la nave entre las paredes desnudas, pintadas en un blanco casi brillante y cubiertas con andamios, como si el trabajo de los albañiles no hubiera finalizado; hay una hilera de pequeños vasos de cerámica en el suelo con velas encendidas y muebles antiguos arrumbados y cubiertos de polvo. Mira las hornacinas sin estatuas, tapadas con gruesos sacos de arena, las sepulturas huecas, la puerta cerrada de lo que intuye una sacristía, y piensa que si ese amplio lugar no ha sido aún sacralizado, a Dios no le importaría que él lo usara como hospital. Oye el eco de sus pisadas y el crujido de sus ropas, que al rozarse suenan igual que la respiración de un tísico. Luego asciende los cinco peldaños de una escalera y se acerca hasta un altar de piedra manchado de sangre sobre el que vuelan dos colibríes; los pájaros se asustan al reparar en él y se elevan en silencio a través del aire polvoriento, hacia la techumbre. Vuelve a escuchar las voces que susurran a su espalda y de nuevo se gira sin descubrir a nadie, aunque podría asegurar que alguien ha dicho su nombre muy cerca de él. Su determinación se ha transformado ahora en temerosa prudencia. Mira a la derecha del altar y solo percibe la amplia lisura de un paño recién pintado. Mira a la izquierda y contempla sobre la pared una modesta placa de cobre con un pequeño escudo de armas y un nombre que no logra leer.

En ese instante ya no discierne si duerme o está despierto.

CINCO

El rostro de Yunuén, el aguador, está salpicado de máculas irregulares, ennegrecidas por un pigmento tan oscuro como su pelo y que le crecen por debajo de los párpados, en la frente y en los pómulos, extendidas como manchas de aceite; el aire cálido y los muchos días de sol le han dado a su piel un aspecto seco y tostado, de cuero viejo curtido, en cuyo fondo el blanco de los ojos y los dientes parece brillar. Lleva más de diez años de esclavo en la plantación; cuando era muy joven los guerreros de Cupul lo capturaron en las tierras del norte, en el pequeño señorío de Tazes, y le pusieron a recoger maíz en la gran plantación de Zacal; trabajó bien, obedeció y aprendió a dosificar sus fuerzas para no mostrar nunca desánimo o apatía a los vigilantes; un tiempo más tarde el capataz le concedió el privilegio de aliviar la sed de los otros esclavos, tal vez porque su nombre significa *príncipe del agua*. Ahora cumple con ese trabajo con una callada eficacia, sin ningún propósito de mejora, porque carece de ambición. Ya no se plantea que exista una forma de vida distinta; no recuerda a los suyos, ni los echa de menos. Ni siquiera piensa en huir. La rutina del trabajo de sol a sol, sin días de descanso, ha destruido su voluntad.

—¡Agua! ¡Agua limpia!

Con un odre y un cacillo de madera ofrece agua a los hombres que recogen y transportan el maíz. Circula tres o cuatro veces al día entre los esclavos, alguna más si aprieta el calor, y tal como le ordenaron, solo les permite beber un cacillo cada vez.

—¡Agua! ¡Agua limpia!

A su paso se gira un esclavo, un muchacho de quince años, que hace un gesto y acepta el agua. Yunuén se acerca a él y llena un cacillo, que el esclavo lleva tembloroso a los labios agrietados y bebe con avidez.

—Más, por favor.

—La regla es uno en cada reparto.

—Solo otro cacillo…

—Ya conoces las normas. Tiene que haber agua suficiente para todos. Y no se trabaja bien con la tripa llena.

La negativa del aguador es firme, y el esclavo ha vivido el suficiente tiempo en la plantación para saber que no valdría de nada insistir, que es mucho más prudente conformarse y regresar a su puesto. Si logra centrarse en algo distinto a su sed, si se distrae con la imagen benevolente de su madre o con los juegos que compartía con sus hermanos, antes de que se dé cuenta llegará el mediodía, el aguador pasará de nuevo por allí y podrá beber un segundo trago.

Yunuén avanza despacio por uno de los estrechos senderos que atraviesan el maizal.

—¡Agua! ¡Agua limpia!

Un hombre está sentado en el suelo. Apoya la cabeza sobre las rodillas y parece dormido. El aguador le da un puntapié en un muslo con el propósito de despertarlo, pero el cuerpo se vence hacia su izquierda y golpea el suelo con la aturdida flojedad de un fardo. Está muerto, y el aguador sabe que si avisa al capataz le tocará echárselo al hombro, sacarlo del maizal y enterrarlo, nada que le apetezca en un día de tanto bochorno; mira a uno y otro lado, comprueba que nadie le vigila, coloca al hombre en la posición en la que lo ha encontrado, cambia de dirección y enfila otro de los senderos.

—¡Eh, *castiliano*! ¿Quieres agua?

Nadie en la plantación se dirige a Jerónimo por su nombre, es probable que ni siquiera sepan cómo se llama, a pesar de que ha vivido allí los últimos siete años. En uno de sus primeros días en el maizal, el capataz le miró con extrañeza por el pelo ensortijado que crecía en su cara y en su mentón, el vello oscuro de sus brazos y el color rosado de su piel y le preguntó de dónde venía, él contestó sin más explicaciones que era castellano. El capataz dio por satisfecha su curiosidad, no porque supiera qué es el reino de Castilla, ni porque deseara conocer que en alguna remota parte del mundo existiera un lugar con tal denominación, sino porque necesitaba alguna referencia de ese recién llegado para dirigirse a él cuando le diera una orden: «*Castiliano*» —dijo el capataz en voz alta—, y así le llamaron desde entonces, sin que a nadie le importara si los procedentes de ese lejano lugar tenían nombre propio.

Jerónimo de Aguilar ha cumplido ya treinta y un años; está delgado, fibroso, con la carne endurecida por el esfuerzo de las incesantes jornadas de trabajo, tiene la cabeza medio afeitada, igual que todos los esclavos, una larga barba en la que afloran las canas y la piel salpicada de lunares, quemada por el sol, pues trabaja casi desnudo, solo con un *ex* a la cintura y unas viejas sandalias en los pies. En los días desapacibles le permiten cubrirse con una manta vieja de algodón de forma cuadrada que tiene un agujero en el centro para introducir la cabeza, pero hoy hace calor, demasiado para trabajar con ella encima de los hombros. De la cintura le cuelga un cordón que sostiene un humilde crucifijo de madera, que él conserva como si fuera un íntimo tesoro; lo fabricó mucho tiempo atrás, con dos trozos de flecha rotos que encontró semienterrados en el suelo, los lijó con una piedra, hizo una muesca en uno de ellos, los ensambló y murmuró unas palabras en latín para bendecirla. Nadie conoce allí el significado de la cruz, los vigilantes piensan que es un adorno y por eso le permiten llevarla. No ha hablado de su fe con otros esclavos ni ha intentado evangelizar a nadie por miedo a las represalias. Se ha hecho un hombre callado y melancólico que solo encuentra refugio en la oración; reza en todo momento, de forma obsesiva, sin pensar en el significado de las palabras; de vez en cuando, si no le ve nadie, besa el crucifijo y se santigua mientras susurra: *Per signum crucis de inimicis nostris libera nos, Deus noster.* Está a punto de marchitarse, muy cerca de ese instante capital en el que un hombre percibe que ha terminado de hacer todo aquello por lo que se justificaba su presencia en el mundo y descubre, sin temor, que su muerte no solo carece de importancia, sino que puede ser una forma de liberación. Únicamente se ha permitido una licencia al orden, un resquicio en su rutina al que se ha aferrado para no enloquecer: todos los días hace una pequeña marca en la contraportada rota de su libro de horas para mantener la certidumbre del día de la semana que es, y de cuántos años y cuántos meses lleva trabajando en la plantación, comiendo tortas de maíz con frijoles, pidiendo a Dios un milagro y guardando silencio. Solo le queda un trozo de ese libro, menos del último tercio, sus páginas se borraron en el naufragio y están casi en blanco, apenas se leen algunos fragmentos de la liturgia y un par de salmos; lo lleva siempre consigo, escondido en un pliegue del *ex.* A veces evoca los días del naufragio, los sacrificios de sus compañeros en la ciudad de Tulum y la huida con Gonzalo a través de la selva; todo empieza a trasladarse a ese rincón de la memoria donde los recuerdos se convierten en breves retazos aislados, en destellos que atrapan una frase o una palabra, apenas un gesto, porque en el fondo de esa conciencia se ha instalado el secreto deseo de olvidarlos. Sin embargo, hay uno de esos recuerdos que perdura con una extraña sensación de inmediatez: las palabras entre proféticas y alucinadas del pobre Ángel de Santacruz; el marino que hablaba de demonios desnudos que les sacarían las entrañas y de fiestas de sangre y de fuego mientras afirmaba presenciar una nueva transfiguración; aquel que les anunció que ninguno regresaría a Castilla, que todos morirían allí, que más les valdría rezar por la salvación de sus almas. La locura de ese desgraciado estaba plagada de certidumbres, y aunque ninguno de los que viajaba en la barcaza le tomaron en serio, ahora cree que aquel simple marino no poseía el don de la adivinación, que era otro el que hablaba por su boca, tal vez algún santo o un ánima del purgatorio; ahora piensa que todo cuanto sucede a su alrededor emana de la misma pesadilla, y que la plantación, aunque a veces le parezca un reducto de tranquilidad y obediencia, no es más que un refugio inseguro en el que aguarda el definitivo cumplimiento de aquella maldición.

—Sí, por favor, dame un poco.

El aguador conoce a Jerónimo desde que llegara a la plantación; durante los primeros meses su extraño aspecto y su delgadez no le inspiraron confianza y no se acercó a él, pero con el paso de los meses aprendió a respetarlo por su calma e integridad, por su resistencia a lamentarse y porque le vio muchas veces mostrar conmiseración por los más desfavorecidos. No le parece que haya malicia en su interior, ni cree que sea alguien que merezca una vida de esclavo, aunque no sepa nada de él por sus prolongados silencios y su carácter impenetrable.

—¿Cómo va el día? —pregunta Yunuén mientras le acerca el cacillo.

—Caluroso, lento y sosegado —contesta Jerónimo—, igual que todos.

—Ya sabes que el tiempo no es más que un ciclo.

—Que no finaliza nunca.

Jerónimo le devuelve el cacillo al aguador.

—Dame otro trago, Yunuén, el sol ya calienta y el capataz no nos presta atención.

El aguador mira a su espalda y ve al capataz a algo más de veinte pasos de ellos, entretenido en una charla con otros hombres.

—Bébelo rápido. Si nos descubre nos castigará.

Jerónimo apura el cacillo y se lo devuelve.

—Viene para acá —dice Jerónimo.

—¿Crees que nos ha visto?

—No estoy seguro.

El capataz avanza hacia ellos a grandes pasos, con la premura de quien ocupa su pensamiento con un solo objetivo. Su cara no denota ira ni excitación, pero todos le temen, porque conocen su falta de escrúpulos y su iniquidad. Jerónimo lo desprecia, le vio en una ocasión romper a golpes la espalda de un esclavo, continuar pegándole mucho tiempo después de que dejara de respirar y luego abandonarlo sobre la tierra para que lo devoraran los gallinazos, como si su carga de odio le obligara a castigarlo más allá de la muerte. Otro guardián, al dar con el cadáver, preguntó qué falta había cometido ese hombre, y él se limitó a contestar: «Me miró a los ojos».

—¡Eh, tú, *castiliano*! ¡Ven conmigo!

Jerónimo camina despacio hacia el capataz con la cabeza baja. Los dos asumen que han sido descubiertos y que serán apaleados.

—Tú, aguador, despierta. No te quedes ahí parado y sigue con tu trabajo.

Yunuén mira con preocupación a Jerónimo y, durante un instante que sabe robado a sus obligaciones, lo ve alejarse con el capataz; después vuelve sobre sus pasos, se alegra porque no le ha alcanzado el escarmiento y continúa su tarea.

—Agua... Agua limpia.

El capataz y Jerónimo llegan al poblado. Se trata de un desmañado conjunto de chozas y cabañas donde pasan la noche los esclavos, se almacena el maíz antes de la molienda y se repara el utillaje. Hay cientos de empalizadas en las que secan las mazorcas, mujeres sentadas en círculos que tejen sacos de carga y grandes esteras y una algarabía de hombres que trabajan en ruidosos talleres.

Jerónimo camina un paso por detrás del capataz mientras reza en silencio para que su castigo acabe allí, en la plantación, que lo azoten con una vara o que lo humillen ante los demás arrastrándolo por el poblado con una cuerda, pero que no lo suban a la pirámide.

Llegan hasta el grupo de hombres que los espera: el indio Melchor y los seis guerreros de Cozumel que lo acompañan. Melchor viste de manera estrafalaria, casi harapienta, con un descolorido blusón de Castilla, un talabarte sin espada, unas alpargatas en los pies, una celada española rota y un colgante en el que se alternan cristales azules y dientes de jaguar. A Jerónimo le inquieta esa indumentaria, más propia de un ladrón de cadáveres que de un indio, pero permanece en silencio.

—Aquí está —dice el capataz—. ¿Es quien buscas?

Melchor se fija en la poblada barba de Jerónimo y en la cruz de madera que cuelga de su cintura.

—Es posible. He de asegurarme. Hablaré antes con él en su lengua.

—Adelante —dice con indiferencia el capataz—. Con lo que has ofrecido por él como si lo matas aquí mismo.

Melchor avanza hacia Jerónimo y le habla en castellano:

—¿Cómo te llamas?

Jerónimo siente un escalofrío al escuchar a alguien hablar en su idioma por primera vez en tanto tiempo. Antes de contestar balbucea unas sílabas que a él mismo le resultan ininteligibles, como si la falta de práctica le hubiera hecho olvidar su lengua materna. Luego cierra los ojos, espera un instante y da tiempo a que despierten las palabras dormidas.

—...Mi nombre es Jerónimo de Aguilar.

—¿Dónde naciste?

—En Castilla. En la ciudad de Écija.

—¿Cómo llegaste aquí?

—Nuestro barco naufragó cerca de Jamaica. Echamos un batel a la mar y las corrientes nos trajeron a estas costas. Luego nos apresaron los cocomes. Eso fue hace casi ocho años.

Melchor ya sabe que es el hombre a quien busca, pero no demuestra alegría para que el capataz no sienta la tentación de elevar su precio.

—¿No había otro castellano contigo?

—Así es. ¿Cómo lo sabes?

—Yo pregunto. ¿Su nombre?

—Gonzalo Guerrero.

—¿Dónde está?

—Hace años que no lo veo. También era esclavo en el señorío de Chactemal. Tal vez siga allí. A mí me vendieron a otro cacique y no volví a saber de él.

Melchor descuelga de su cinturón una bolsa llena de bisutería y varias cuentas de collar de color verde, más de las que el ambicioso capataz ha visto juntas en su vida.

—Es él. Me lo llevo. Toma lo pactado.

—Es un buen trabajador —dice el capataz mientras hunde con avaricia los dedos en el interior de la bolsa—. Obediente y callado, uno de los mejores. No da problemas.

Melchor se despide del capataz con un gesto de cortesía y se lleva a Jerónimo tomándolo con firmeza por el brazo. No es la primera vez que Jerónimo cambia de dueño; Melchor no le parece digno de confianza, aunque hay algo extraño en él, una mezcla de las dos culturas que le resulta desconcertante, impostada.

Cuando se han alejado de la plantación y Melchor está seguro de que no pueden verlos, suelta el brazo de Jerónimo y le dice:

—No temas nada de nosotros. Eres libre. Yo también sirvo al rey de Castilla. Los tuyos me mandaron a buscarte.

Jerónimo mira a Melchor; necesita una explicación, alguna prueba de que no se trata de una mentira, que no lo llevan a la cima de un templo para sacarle el corazón y cortarle la cabeza, pero el indio camina impasible e indiferente a la zozobra que se está produciendo en el interior de ese hombre blanco, en apariencia insignificante, por el que el capitán Hernando Cortés le ha hecho completar un viaje tan largo y ofrecer un pago desmedido.

El sol se halla en lo alto cuando el insólito grupo corona el cerro desde el que, a lo lejos, Jerónimo divisa una pequeña reunión de soldados que descansa alrededor de lo que le parece un pendón de Castilla. Solo rompe el silencio el crujido de las sandalias sobre la arenisca del camino, aunque Jerónimo apenas lo oye, pues en su interior ha estallado una algarabía de emociones.

Melchor levanta la cabeza y sin mirarle, le dice:

—Ahí están. Todos esos han venido a por ti. Debes de ser un hombre importante.

Jerónimo duda un momento. Intenta frenar su alegría, comportarse con la frialdad y la entereza con la que imaginaba en sueños que recibía a los suyos el día de su liberación. Él suponía un encuentro serio, respetuoso, marcial, en el que antes de cualquier muestra de júbilo habría de saludar y dar parte de su situación al oficial al mando, mas la emoción lo desborda y no se contiene; lleva demasiado tiempo sin una buena noticia que lo saque de esa siniestra espiral de sufrimientos. Corre hacia los soldados, braceando sin ritmo, con la postura desangelada de quien vuelve a hacer un movimiento automático que casi ha olvidado y, al llegar ante ellos, se arroja al suelo y se postra de rodillas ante Diego de Ordás.

—Dios benigno —dice Jerónimo—, ¡sois españoles!

—Lo somos ta... tanto como vos —contesta Ordás—, aunque doy fe de que ahora mismo no lo parecéis.

—No me juzguéis por mi mal aspecto, señor, ni por mi piel sucia tantas veces quemada por el sol, ni por este trasquilado en el pelo que los indios de aquí les hacen a sus esclavos. Soy hidalgo castellano, natural de Écija, no muy lejos de Sevilla, y fiel devoto de Dios y de Santa María.

—No dudamos de ello —dice Ordás al fijarse en su viejo crucifijo de madera, ya ennegrecido—. Y por muy lejos que nos quede ahora, tened por seguro que todos sabemos dónde se encuentra la ciudad de Écija. Decidnos vuestro nombre y empleo.

—Jerónimo de Aguilar. Alférez de Castilla al servicio del rey Fernando. En mi último destino estuve a las órdenes del capitán Juan de Valdivia en la nao Santa Lucía.

—¿Cuál era vuestra misión?

—Cumplíamos la orden del gobernador del Darién, Vasco Núñez de Balboa, de llevar a la isla de La Española el quinto real y pedir refuerzos para explorar las costas del Mar del Sur, pero nuestra carabela dio al través en los bajos de las Víboras, al sur de Jamaica.

—Levantad, alférez, aunque llevéis mucho tiempo en estas tierras, sois un soldado, no un esclavo. Y sabed que somos súbditos de un nuevo soberano, el joven rey Carlos, llegado hace dos años de Flandes, hijo de la reina Juana de Castilla, nieto de Don Fernando y Doña Isabel. Don Fernando, al que servisteis y que Dios tenga en su gloria, murió hace ya tres años.

Diego de Ordás tiende la mano a Jerónimo, que se apoya en ella y se levanta.

—Entregad camisa, jubón, alpargatas y una espada a este hombre. Aunque lo veáis con tal desaliño, es de los nuestros.

Jerónimo termina de incorporarse sin atreverse a sonreír, confundido por la noticia de la muerte de su rey.

—Siento que haya muerto Don Fernando —dice Jerónimo—, siempre me pareció un buen rey, aunque no me corresponda juzgarlo.

Los soldados se acercan a él con la curiosidad prudente de quien se da a conocer a un pariente lejano, hasta que los más desenvueltos lo toman por los brazos y le dan una afectuosa bienvenida.

—Nos alegramos de vuestra presencia entre nosotros, alférez.

—Ya estáis a salvo.

—Es un honor conocerle.

Jerónimo recibe con extrañeza las felicitaciones; no entiende cuál es su mérito, ni qué hay en su persona que merezca algún elogio. No ha hecho nada que no sea defenderse de sí mismo para no caer en la locura, apenas preservar a fuerza de oraciones un delicado cordón umbilical que lo uniera a la vida, pero no dice nada y se deja conducir por los soldados hasta las tiendas.

Una vez vestido y pelada por completo la cabeza para borrar el estigma físico de su esclavitud, después de beber agua en abundancia y de haber tomado algo de alimento, Jerónimo se presenta de nuevo ante el capitán Ordás.

—¿Me habéis llamado, capitán?

—Así es, alférez, que ahora ya lo parecéis; hacedme si os place el relato de todo lo que os sucedió, quiero que me forméis sobre ese naufragio y cómo lograsteis sobrevivir, pero antes debo cumplir una obligación…

Ordás se detiene y busca dentro de su faltriquera.

—…el señor Don Hernando Cortés, nuestro capitán al mando, me dio en mano esta carta para vos.

Jerónimo mira la carta con desconcierto y una callada satisfacción. Pasa los dedos sobre la superficie del papel y siente su áspera textura como si el mero hecho de tocarla ya formara parte de un privilegio; nunca pensó que un hombre poderoso se dirigiera a él, y menos con la solemnidad que implica hacerlo por escrito. Mira al capitán Ordás solicitando su permiso para abrirla, y al recibirlo, rompe el lacre y empieza a leerla:

Nobles señores:

Yo partí de Cuba con once navíos de la armada y más de quinientos españoles, y llegué a la isla de Cozumel, desde donde os escribo esta carta. Los indios de esta isla me han certificado que hay en esa tierra hombres barbados y muy semejantes a nosotros en todo. No me saben decir otras señas, mas por estas conjeturo y tengo por cierto que sois españoles. Yo, y estos hidalgos que conmigo vienen a poblar y descubrir estas tierras, os rogamos mucho que dentro de no más de seis días que recibierais esta carta, os vengáis para nosotros sin tener otra dilación o excusa. Si viniereis, conoceremos y gratificaremos la buena obra que de vosotros recibirá esta armada. Un bergantín os envío para que vengáis en él, y otra nao por seguridad.

Hernando Cortés

Jerónimo, emocionado, pliega la misiva. Tiene los ojos bañados en lágrimas, sabe que debería alegrarse, que la vida, por una vez, le muestra una cara benévola, mas los sufrimientos del pasado han convertido su alma en un sumidero de tristezas. Ordás lo mira con la compasión de quien reconoce en el cuerpo de otro una herida tan profunda que nunca llegará a cicatrizar.

—¿Y sabéis qué fue de vuestro compañero?

—No. No he vuelto a verlo desde que me sacaron de Chactemal. Un esclavo indio, uno de la plantación que vino de allí, me explicó que Gonzalo estaba al servicio del cacique como carpintero, en la propia casa grande. De eso hace siete años.

—¿Qué empleo tenía en nuestra armada?

—Alférez, como yo, aunque éramos distintos... No me malinterpretéis, mi comentario es a su favor: él era... será todavía, un soldado excepcional, veterano de la toma de Granada y de las guerras de Nápoles, el mejor arcabucero, no como yo, que a su lado soy un hombre sin méritos. Desconozco qué habrá sido de Gonzalo Guerrero, pero estoy seguro de que sigue con vida, no resulta sencillo acabar con él.

—Y vos afirmáis ser un hombre sin méritos. ¿No os resulta mérito suficiente sobrevivir en estos territorios más de siete años? Muchos no lo habríamos conseguido. Vuestros compañeros de naufragio se fueron quedando por el camino. Algunos habría en ese barco a los que tuvierais por más fuertes y valerosos que vos, pero no son esos los que hoy están aquí.

—He sobrevivido, sí, y para ello he tenido que callar, huir y obedecer, he escondido mi fe y he dejado que me pelaran la cabeza y que me midieran el cuerpo a golpes; he sobrevivido a base de cobardía, capitán, tragando las hieles del dolor y de la angustia como lo habría hecho un perro al que maltratan sus amos, incapaz de abandonar su regazo. No me parece que deba presumir de nada ni sentirme orgulloso.

—Nadie en to... todo el reino va a ser tan severo con vuestras acciones como lo sois vos mismo, y nadie cavilará que tendríais que haber actuado de forma diferente, porque el hecho de que estéis vivo es ya de por sí un acto heroico. ¿Aprendisteis la lengua de estos indios?

—Sí, fue difícil al principio, no se asemeja en nada a la nuestra, pero la entiendo bien, porque es directa y de pocas palabras, y la hablo con soltura.

—¿Comprendéis del valor que tenéis para nuestra expedición? Conocéis la lengua, las costumbres y la geografía de esta tierra. Seréis un colaborador muy valioso para Hernán Cortés. Si jugáis bien vuestras cartas, os convertiréis en imprescindible. Tiene al indio Melchorejo como traductor, ese andrajoso que os ha traído, pero es un despabilado de mirada sucia, ninguno confiamos en él.

—Haré cuanto tenga a bien pedirme nuestro capitán. Y será a cambio de nada.

—¿A qué distancia de aquí se halla esa ciudad de Chactemal?

—Es complicado calcularlo, yo llegué por el camino del interior... tal vez a ochenta leguas al sur.

—De... describidnos la ciudad. ¿Se encuentra en la costa?

—Se sitúa en el fondo de una amplia bahía. Se trata de una ciudad grande, con muchas casas bajas y varios miles de habitantes. Tiene una pequeña muralla en el interior que apenas alcanza la altura de un hombre, más pensada para delimitar la linde de la ciudad que para evitar un asedio.

—¿Y hacia el mar?

—En esta parte del mundo no construyen defensas en la línea de costa, capitán. Ellos esperan la llegada de los dioses a través del mar, no la de sus enemigos.

—Saldremos en barco a buscarlo.

Jerónimo baja la cabeza. Tiene una vaga sensación de irrealidad, de frustración inminente, como si ya no fuera digno de recrearse en un breve instante de dicha.

—He estado enfermo, capitán, enfermo de melancolía, de esa forma de dolorosa enajenación que los griegos llamaron la bilis negra, y que de verdad merece ese nombre, porque emponzoña el alma y se filtra por todos sus resquicios hasta debilitar la cuerda invisible que nos mantiene prendidos al mundo; fue al principio de estar aquí, poco después de asimilar a base de golpes que mi vida no valía nada, que me darían alimento y bebida mientras trabajara, y que el día que no les resultara útil me conducirían al templo y me arrancarían el corazón o me arrojarían a uno de los cenotes, que son unos agujeros grandes en la tierra con corrientes de agua en el fondo que llevan al infierno. El miedo y la falta de esperanza me sumieron en una congoja tan profunda que ya a duras penas recuerdo aquellos meses. El tiempo transcurría muy despacio, mis cavilaciones no lograban avanzar, se mantenían ancladas en una misma idea de culpa en la que incidían una vez tras otra hasta desfigurarla. Ni siquiera podía llorar, como si el polvo del maíz me hubiera secado las lágrimas y las entrañas y dentro de mí ya no quedara nada con lo que demostrar aquel inmenso caudal de tristeza. Me debilité mucho, me quedé en estas pocas carnes que veis y perdí la capacidad de dormir una noche completa sin despertar. Durante todo este tiempo no recuerdo haber soñado; las noches pasaban vacías, sin imágenes, entre la naturaleza visible y la invisible, igual que esos ríos de sombras subterráneos que aquí veneran los indios, como si ya no tuviera conciencia, o como si estuviera muerto. Esa era mi vida, una pesadumbre sin fin, un trabajo sin descanso, un golpe, un grito, un cacillo de agua que es un alivio fugaz para una sed que abrasa la garganta. No pretendo justificarme, ni busco vuestra compasión, quiero que entendáis de dónde vengo, por qué circunstancias he pasado y en qué pozos oscuros he descubierto mi imperfección, pues en medio de este paisaje engañosamente hermoso he perdido la juventud y la alegría por vivir. Que vuestras mercedes se hallen aquí, que yo ya no sea un esclavo, que viajemos a rescatar a mi compañero... es igual que volver a soñar, y me da miedo que la magia se quiebre, que esta misma noche me despierten los golpes en las hamacas y los gritos de los capataces y que deba regresar al trabajo. Es cierto que tenía pensamientos evasivos, como defensa, para no terminar de derrumbarme, pero nunca creí que fueran a cumplirse; esas esperanzas formaban parte de un juego infantil que me rescataba de la desesperación. ¿Habéis hecho eso alguna vez? ¿Habéis intentado pensar obsesivamente en algo que desearais con fuerza para dormir abrazado a esa idea? Yo lo hacía cada noche, y también rezaba mucho, sobre todo mientras trabajaba en el maizal, a veces para pedirle a nuestro señor Jesucristo el milagro de mi salvación, en otras ocasiones para que terminara este cruel destierro, «¿por qué no me llevas?», le preguntaba, pero Él nunca me respondía, se limitaba a darme un día más, y yo lo ocupaba con el rezo para aliviar el paso del tiempo; no musitaba mis plegarias a un Dios justo e infinito, sino a su obra, al resultado de la creación, como si por aceptar la vergüenza de ser la más despreciable de sus criaturas pudiera reconciliarme con Él. Pero los días transcurrían muy despacio, uno tras otro, todos iguales, comiendo sin afán por hacerlo, durmiendo sin disfrutar del descanso; me avergüenza reconocerlo: llegué a pensar que Dios no me escuchaba.

—Dios siempre escucha a quien reza con fe.

—Hay mucha culpa dentro de mí, capitán, y mucho pesar. Abandoné los hábitos poco antes de recibir las órdenes menores. Traicioné una vocación que siempre creí verdadera. He pensado mil veces que Dios Nuestro Señor me castigaba por haberle dado la espalda, por permitir que el egoísmo torciese mi voluntad, por abandonar a mi madre... Creo que todo esto no es más que un presagio de la condena que me espera en el purgatorio. ¿Sabéis que en las Sagradas Escrituras apenas se menciona el purgatorio? Nadie con voz de autoridad ha explicado nunca cómo es. Supongo que el purgatorio no resultará un lugar muy distinto de la plantación, un lugar donde los pecados se sudan con sangre; las mismas tareas en las mismas situaciones, sin nada que diferencie un día de otro, el mismo trato displicente del capataz, los mismos castigos, las picaduras de los insectos, la amenaza de las serpientes, el mismo sol abrasador que nos observa desde el cielo con su mirada de cíclope. Yo imagino así el purgatorio, un lugar en la Tierra que consume a los hombres, que los agota sin acabar de rematarlos. El fuego probará la obra de cada cual, dijo San Pablo; si lo que has construido resiste el fuego, serás premiado, pero si la obra se convierte en cenizas, tendrás que pagar.

Jerónimo calla un instante y abandona la vista en un punto indefinido del cielo, como si una idea fugaz hubiera conseguido rescatarlo de ese apartado rincón de nostalgias e inculpaciones. El capitán contempla su semblante ojeroso y su expresión de condenado, quiere saber más, quiere descubrir cómo han obrado en él los mecanismos de la entereza, el horror y la resignación para haber logrado que un hombre de apariencia tan débil sobreviviera a semejante cautiverio, pero Ordás respeta su silencio, tiene ante sí a un compañero de armas que ha estado a punto de ser aniquilado, alguien que ha sufrido un castigo feroz e injusto y que merece una mano tendida para intentar resurgir entre los escombros. Jerónimo vuelve a bajar los ojos al mundo y con una leve sonrisa le pregunta al capitán:

—Hoy... ¿Hoy es miércoles?

Ordás responde con cierta sorpresa:

—Sí, en efecto, lo es.

—Hoy es miércoles... No había perdido la cuenta... Miércoles.

SEIS

Al amanecer del día siguiente, la nao del capitán Ordás entra en la extensa bahía de Chactemal bajo un cielo turbio de víspera de tormenta. Apenas sopla el viento, y el agua encalmada y el escaso fondo recomiendan echar el ancla y llegar a tierra en una barcaza.

Chactemal, la ciudad donde crecen los árboles rojos, está junto a la desembocadura de un río, el primero que han visto en superficie los españoles en aquella región, y se encuentra ceñida por dos inmensos brazos de tierra colmados de verdor que se separan y se alejan en busca del horizonte. En los márgenes, los amplios manglares se funden con el agua azul turquesa, hay pequeños islotes en los que la vegetación impide ver el color de la tierra y unas vacas marinas comen algas sin cesar mientras nadan perezosas junto a ellos, indiferentes a su presencia.

Algunos indígenas han empezado a reunirse en la orilla seducidos por la imagen del barco, que para ellos tiene evocaciones de epifanía, y forman pequeños grupos en un silencio solemne y reverencial, tal vez atrapados por su silueta de espectro y su velada amenaza. Ante sus ojos, el batel con el capitán Ordás, Jerónimo, el indio Melchor, ocho soldados y cuatro arcabuceros avanza a pausados golpes de remo, muy despacio, como si emergieran del inframundo. Llevan en su proa un pendón con la cruz de San Andrés y un gran estandarte de damasco rojo y violeta con la imagen de la Virgen de la Concepción.

—Esta es nuestra verdadera madre —le dijo Jerónimo al capitán Ordás antes de bajar del barco—, si nos acompaña nada malo habrá de sucedernos.

Los hombres sienten en la deriva del batel cómo la tenaz mansedumbre del río adentra su corriente de agua dulce en la bahía, y distinguen a babor los sedimentos de la desembocadura, que afloran en la superficie como suaves jorobas de arena. La bahía tiene esa mañana una luz brumosa, casi adormecida, y los hombres necesitan acercarse para distinguir con nitidez los detalles de la ciudad de Chactemal. Pueden ver que es blanca y extensa, mayor de lo que imaginaban, tanto como algunas de la costa española, está entrañada por la desmesura de la vegetación y se extiende a la sombra del esplendor violento y desolado de su pirámide.

Hay un mutuo desasosiego ante la inminencia del encuentro, una inquietud de raigambre mágica para los mayas, que reciben con fascinación y temor todo lo que pueda llegar del mar, pero de sentido muy distinto en los recién llegados; los españoles creen viajar a una época diferente, a un tiempo pretérito, como si la bahía, el río y toda la ciudad formaran parte de una melancólica ensoñación del pasado habitada por hombres primitivos a los que doblegarán sin demasiadas fatigas. Solo Jerónimo no se engaña.

Cuando llegan a tierra, el indio Melchor es el primero en desembarcar y se adelanta para acercarse a los más curiosos con una bolsa de fieltro entre las manos de la que saca, con la ensayada habilidad de un buhonero, broches, alfileres y anillos de bisutería, relicarios de cobre, cuentas de collar y pequeños espejos de tocador con los que obsequia a los que vencen el miedo y se atreven a manipular esos extraños objetos.

—Somos vuestros amigos —les explica en su propia lengua—. Os traemos regalos.

Los mayas, en una actitud cada vez más confiada, rodean al grupo de españoles y sonríen al tocarles con timidez las barbas y las piezas de metal de sus armaduras. En un instante, los recién llegados se encuentran en medio de docenas de curiosos, muchos de ellos niños y mujeres que, en un ambiente incierto y relajado, aguardan con impaciencia su pequeño regalo de los extranjeros. Ya nadie le da importancia a la presencia del barco, ni al prodigio inimaginable de que unos hombres de piel clara, altos y barbados hayan llegado a su costa a través del mar.

—¡Abrid paso!

Solo tienen que oírlo una vez para obedecer. Es la voz de Kinich, el jefe de guerreros, que impone su autoridad. Nadie entre los habitantes de Chactemal se atreve a ignorar su mandato. La muchedumbre calla y se separa de los recién llegados, y poco a poco se detiene expectante y se gira, dejando un pasillo humano entre los españoles y los guerreros encabezados por Kinich.

—Alerta —señala Ordás.

Los soldados echan mano a sus espadas sin desenvainarlas, y los arcabuceros se retrasan unos pasos, colocan las armas en posición vertical y las cargan de pólvora sin perder de vista a sus enemigos. Luego, con los proyectiles en la mano envueltos en un trozo de estopa, esperan la señal de su capitán. Todo se planeó antes de bajar del barco; la orden es que los primeros disparos sean para las cabezas de los líderes.

En medio de un silencio tenso que a todos les parece un presagio de la batalla, Jerónimo se adelanta al grupo de los españoles y camina con los brazos en cruz y las manos vacías hacia los mayas. Ordás mira al alférez de arcabuceros y este entiende que la cabeza de Kinich ha de ser la primera en volar, por lo que introduce el proyectil en el ánima y lo empuja hasta el fondo con la baqueta.

Mientras Jerónimo se acerca, Kinich empuña el hacha que cuelga en su cintura, pero antes de que la eleve, el hombre que está a su lado lo detiene. Se trata de Gonzalo Guerrero. A pesar de su aspecto y del paso del tiempo, Jerónimo lo ha reconocido y por eso se ha atrevido a acercarse hasta él: tiene el cráneo afeitado hasta la coronilla y una melena, ya canosa, recogida en una gruesa coleta que adorna con plumas de colores y una especie de pájaro disecado sobre la cabeza; le cuelgan zarcillos de oro de las orejas, lleva la nariz perforada de lado a lado con un hueso de animal y la cara labrada a punta de cuchillo. Viste con ropas y adornos que lo destacan entre los demás como un hombre notable, no un simple guerrero; ciñe un delantal de piel de serpiente fijado por un grueso cinturón con incrustaciones de piedras preciosas y luce un broche de terracota sobre el pecho que simboliza el rostro de un dios con aspecto de cocodrilo.

Gonzalo se adelanta a Kinich y a través del pasillo humano se acerca a Jerónimo, que le observa demudado, el amigo al que vio por última vez hace tantos años en aquella misma ciudad, quien afirmó que formaban parte de un ejército y que habían sobrevivido, ahora se ha convertido en un jefe maya. Cuando se miran a los ojos frente a frente como niños indecisos, con los hombres de uno y otro bando dispuestos a iniciar una matanza, Jerónimo se dirige al que fue su compañero de desgracias:

—Querido amigo...

—Hermano —contesta Gonzalo en el viejo idioma de Castilla, y los dos se toman por las manos y juntan sus pechos fundiéndose en un rotundo y prolongado abrazo.

Al verlo, los soldados españoles y los guerreros mayas cruzan miradas entre ellos y respiran aliviados, los arcabuceros bajan las armas, los jóvenes y las mujeres lanzan gritos de júbilo y todos vuelven a reír y a hablar a voces.

Durante la tarde, tras generosas muestras de hospitalidad, hartos de viandas provenientes del mar y de carne de lagarto asada, cuando los hombres descansan y el impulso de la novedad ha comenzado a atenuarse, Jerónimo busca la forma de verse a solas con Gonzalo y le deja leer la carta de Hernán Cortés.

—El capitán Cortés no ha venido en misión de reconocimiento, Gonzalo, los nuestros quieren tomar posesión de estas tierras. Ha sucedido ya en otros sitios, tú lo viviste conmigo en el Darién, y aquí no va a ser diferente. Primero intentarán acuerdos de vasallaje, las ordenanzas obligan a lograr la conversión de los indios, pero si no es así, hablarán los cañones. Es la tercera exploración en dos años que parte desde Cuba y está en el ánimo de todos que sea la definitiva. Han traído una flota muy poderosa, la mayor que ha desembarcado en esta parte del mundo. Aquí no hay fuerzas que puedan detenerlos. Debes venir con nosotros.

—Eso no es posible. Ya no. Ha trascurrido demasiado tiempo.

—Da lo mismo el tiempo que haya podido pasar, también ha pasado para mí; compréndelo, por favor; el sueño que has vivido en Chactemal ha terminado, en pocos años nada de todo esto que ves tendrá el mismo aspecto.

—¿Crees que no lo sé? No soy tan ingenuo; lo esperaba, aunque no lo hablé nunca con ellos porque no quería destruir su inocencia. A veces subía a la torre del observatorio y oteaba el horizonte en busca de nuestras velas. Le decía al chamán que quería aprender los caminos del sol y de la luna y me pasaba muchas horas allá arriba. Ver el mar despejado me producía una sensación ambigua, de lástima y también de alivio, pero siempre supe que llegarían los barcos, y que en ese momento todo iniciaría su fin.

—Siendo así, por Jesús Nazareno, no alcanzo a entender que no te unas a nosotros.

—Mírame, sabes quién soy, me conociste cuando regresé de Nápoles, ves por encima de las señales y de las manchas, fíjate en mi cara: ¿cómo puedo presentarme delante de un hidalgo español con las orejas y la nariz perforadas, con tatuajes en el pecho y la cara labrada? Nunca me aceptaría.

—Son signos externos, nada más. Heridas de una guerra que has ganado, igual que todas las que emprendiste. El tiempo te devolverá tu aspecto normal. Diremos a Cortés que los indios te obligaron a actuar según sus costumbres.

—Nadie me obligó, Jerónimo. Soy uno de ellos, alguien importante. Me aceptaron a pesar de las diferencias y ahora me aprecian y respetan. Mi situación no es algo reciente; conseguí la libertad unos meses después de que nos separaran, al término de una batalla contra los cocomes en la que vencimos, obtuve permiso de Ach Nachán y fui a buscarte a la plantación de las tierras altas donde me dijeron que te habían trasladado, pero cuando llegué ya no estabas. Luego me interné en la selva e intenté ir hasta el mercado de esclavos de Polé, mas no lo conseguí, aquello es un maldito laberinto y tuve que regresar. Cuando perdí la esperanza de encontrarte comprendí que me había quedado solo y que estaría así durante mucho tiempo, tal vez el resto de mi vida. Al principio no lo creía, pero lo cierto es que eso lo cambió todo. Fue como si se hubiera deshecho el pasado. No volví a pensar en lo que podría haber sido de nosotros si nos hubiéramos mantenido juntos y decidí afrontar aquel nuevo presente, aunque no tuviera nada en común con lo que yo conocía. Aprendí sus leyes y sus costumbres, y también aprendí a mirar a través de sus ojos, porque estos indios no son peores que nosotros, solo son distintos. Fueron amables y generosos, más de lo que nadie lo había sido nunca conmigo, yo adopté sus tradiciones y les enseñé a combatir cuerpo a cuerpo y a organizarse en el campo de batalla; tendrías que verlos ahora, son capaces de formar en falange macedonia, de cavar trincheras, de balancear las líneas. También les mostré la forma de emplear la rueda, ellos desplazaban las cargas sobre troncos que hacían rodar, pero no querían unir dos ruedas estrechas mediante un eje porque no se lo habían visto hacer a los dioses en el cielo.

—¿Sigues siendo cristiano?

—¿Cristiano...? Supongo que sí, aunque de otra manera.

—¿Existe otra manera de serlo?

—Sospecho que no para un diácono.

—No me veas como a un hombre de Iglesia, por favor, soy mucho menos que eso y lo sabes mejor que nadie. Además, aunque me avergüence reconocerlo, yo también he callado mi fe durante todo este tiempo, ni siquiera me atreví a persignarme o a rezar delante de los indios.

—Pero tú te has mantenido fiel y yo he pecado mucho contra Dios.

—Todo se perdona, si no has cometido apostasía.

—La apostasía es un pecado difícil de explicar en medio de la selva, Jerónimo: si no estuvieras aquí nadie echaría de menos a tu Dios. ¿No te has dado cuenta? Los dioses no existen sin fieles que los nombren y que les recen. Aquí no conocen a la Santísima Trinidad ni a los apóstoles, pero existen otros dioses, que están por todos los lados, y yo aprendí a respetarlos y recorrí cada una de las etapas de la iniciación. Soporté en mi carne los mismos sufrimientos que cualquier guerrero nacido en esta ciudad. El largo río de los años ha cambiado todo en mi interior. Me perforé el cuerpo con púas de maguey y vertí mi sangre en la tierra. ¿Sabes el motivo? Para devolverle a los dioses el regalo de la vida. Están en deuda con ellos desde la creación, cuando esos mismos dioses usaron la sangre del tapir y de la serpiente para mezclarla con el maíz y dar forma al hombre. A nosotros nos dijeron que Dios hizo a Adán con barro ¿no es así? La diferencia solo se halla en la sangre, aquí la sangre es la verdadera esencia de la vida y es un privilegio ofrecerla; los sacerdotes nos colocaron a varios aspirantes a guerreros en círculo y todos nos perforamos la lengua y el prepucio con un aguijón de raya, recogieron la sangre con papel amate y la quemaron en una especie de incensario. Cuando el humo ascendía al cielo era emocionante fijarse en que todos se alegraban, porque lo mejor de cada uno viajaba hacia los dioses.

Jerónimo se santigua y comprende que hay un desconcierto demasiado profundo en el corazón de Gonzalo, que el hombre cabal que conoció hablaba ahora como si creyera en la trascendencia de esos actos paganos.

—La sangre asegura la continuidad del universo, por eso a veces es necesario...

Al pronunciar esa frase Gonzalo se detiene y su rostro se entristece.

—¿Qué quieres decir? —pregunta Jerónimo sin atreverse a rebatir a su amigo—. ¿Qué es lo que puede llegar a ser necesario?

La pregunta saca a Gonzalo de un apartado lugar de su conciencia.

—No importa. Sucedió hace mucho tiempo. No me gusta recordarlo.

—A pesar de todo, aunque no lo percibas, la luz del bautismo sigue viva en ti. El alma es incorruptible, Gonzalo; nada, ni la soledad, ni la desolación, ni el desengaño, son tan hondos como para que el hombre pierda el beneficio del soplo divino, solo necesitas seguir creyendo en tu salvación para que se presente de nuevo esa luz. Has estado aturdido, en las tinieblas, cerca de la herejía, pero no has renegado de Dios, todo se puede perdonar en confesión.

—Es tarde para confesiones. No existe vuelta atrás. Nadie regresa al vientre de su madre una vez que lo abandona.

Jerónimo aprendió de sus maestros en la escuela sacerdotal a describir meandros alrededor de su objetivo en cuanto los argumentos amenazan con encallar. Asume que no le va a resultar fácil torcer la voluntad de su amigo y decide no insistir.

—¿Qué te pasó en ese ojo?

—Me lo arrancó un jaguar. Cuando fui a buscarte.

—Siento que fuera por mi causa.

—No lo sientas, gracias a él empecé a mirar el mundo de otra forma. Ven, acompáñame, quiero enseñarte algo.

Los dos hombres enfilan la calle principal hacia la casa de Gonzalo, una de las más grandes y mejor decoradas de la ciudad, situada junto a la gran casa verde del cacique. En el jardín de la hacienda, al lado de un pequeño huerto de calabazas, frijoles y yucas, juegan los tres hijos de Gonzalo.

—Mira a esos niños, Jerónimo. Son mis hijos. ¿Verdad que son bonitos?

Jerónimo contempla enternecido a los tres pequeños mestizos. Poseen el pelo ondulado de su padre, la piel morena sin llegar a ser cobriza y sus rostros son de rasgos amables, delicados, sin duda muy hermosos.

—¿Ves a ese, el más inquieto? Se llama Juan, igual que mi padre. Y tiene los ojos verdes como nosotros. Los otros dos son Gonzalo y Rosario, que han heredado la mirada oblicua de su madre. Tuvimos otra hija, Ixmo, fue la primogénita, pero ya no está con nosotros, sino en los brazos de los dioses.

Gonzalo se entristece al recordar la muerte de su hija mayor, guarda silencio un instante que Jerónimo respeta, un breve momento en el que se condensan todos los recuerdos de aquella niña inocente.

—Ixmo, mi dulce criatura, a la que no supe proteger. Fue la más cariñosa y la más despierta de los niños de Chactemal, la luz que alumbraba nuestra casa. Cuando vinieron los sacerdotes de Kukulcán para llevarse al cenote a todos los primogénitos no los detuve. Se me desgarró el alma, y ese día me juré a mí mismo que nadie dañaría al resto de mi familia. Ni siquiera por exigencias de los dioses. No había salido nunca de Palos cuando me alisté a los dieciséis años y marché a la toma de Granada. No sabía nada del mundo, ni mucho menos de sus reglas y sus ridículas pompas. Llegué al frente con más curiosidad que devoción, solo poseía mi ropa de aprendiz de carpintero, mi tonta insolencia y mi hambre de gloria. Esquivé los golpes de las espadas y fui uno de los ganadores de la guerra. Cuando aquello terminó nos dijeron que éramos unos héroes, que nadie podría vencernos, y nos mandaron a Nápoles; fue allí, en aquellas batallas contra los franceses, donde conocí lo peor del ser humano, la miseria moral y la falta de piedad que destruye la fe en las personas; cristianos matando cristianos, ni siquiera teníamos la coartada de Dios; no sé cómo soporté aquello sin enloquecer, supongo que viviendo como un ciego ante semejante falta de esperanza. Cuando por fin acabó quise dejarlo todo atrás y embarqué para las Indias Occidentales. Entonces nos conocimos, en aquel viaje que ahora recuerdo como una forma de ensueño. Tu amistad fue lo único limpio que me sucedió en esos años. Y no volvió a pasarme nada bueno hasta que conocí a Yxpilotzama. No había sabido lo que era vivir desde que partí de mi pueblo, pisé muchas partes del mundo sin comprenderlo hasta que una mujer de esta tierra se entregó a mí, me amó a pesar de ser diferente y me dio una familia, hasta que entendí cuanto había visto en mi padre y supe que el único sitio donde un hombre puede buscar la felicidad es en el hogar que comparte con su mujer y sus hijos.

Desde la casa, llega hasta ellos Yxpilotzama, serena, elegante, con su larga melena recogida en un sobrio tocado. Huele a aceite de flores; luce el cuello, los hombros, los brazos y las manos pintados de verde; porta un gran collar de perlas, adornos de pedrería y unos largos pendientes hechos con varillas de jade que cimbrean a los lados de su rostro.

—Mi esposa, Yxpilotzama, la hija de Ach Nachán Kanxiuu, tal vez la recuerdes.

Jerónimo, que reconoce a la hermosa hija del cacique, a la que el pueblo llamaba desde niña con veneración Ix Chel Kan en honor a la diosa del amor y la fertilidad, inclina respetuoso la cabeza.

—Señora...

Yxpilotzama, que entiende el castellano, mira seria y desconfiada a Jerónimo. Mantiene una actitud altiva y no le devuelve el saludo.

—Es una preciosa familia, Gonzalo, enhorabuena.

—Aquí se encuentra todo lo que necesito y ya no entendería la vida sin ellos. Gracias por ofrecérmelo, pero no marcharé con vosotros.

—No es necesario que os separéis. Puedes traerlos contigo.

El capellán de la expedición los bautizará y los convertirá en buenos cristianos.

—No quiero que juzguen a mis hijos por el color de su piel. Ni que los miren como inferiores. Mi mujer aquí es una princesa. ¿Crees que la tratarían igual en Castilla?

—En Castilla todos la respetarían por ser la esposa de un alférez del rey. En cuanto a tus hijos...

—¡Es suficiente, esclavo! —interrumpe Yxpilotzama—. Ya has oído a mi marido. Son más explicaciones de las que mereces. Márchate en paz con los tuyos y no intentes convencerlo con tus malas palabras.

Yxpilotzama sostiene la mirada de Jerónimo, que baja los ojos. Después habla en maya a Gonzalo:

—Eres mi esposo. Guarda a mis hijos de la ponzoña de esta lagartija.

Se gira, y sin darles tiempo para que vean sus lágrimas, regresa sobre sus pasos y entra en la casa.

Gonzalo, junto a sus tres hijos, con un escalofrío apagado, observa desde la costa la lenta maniobra de la nao, que ha virado en redondo para orientar la proa al océano y dejar atrás el abrigo de la bahía.

Es ahora cuando su decisión ha terminado de fraguar, cuando se ha hecho definitiva no solo para él, sino también para todos los demás; se ha liberado de la carga de no saber qué pasaría si un barco de los suyos apareciera en el horizonte o si llegara a través de la selva una partida de exploradores castellanos; ha dudado mucho tiempo si tomaría la decisión más juiciosa o se sometería a los vínculos del corazón. Todo ha cambiado para él de una forma drástica e irreversible: ya no pertenece al ejército español, quienes fueron sus mandos no enviarán más hombres a buscarlo ni se interesarán por su suerte; algún día, en algún lugar remoto, tal vez se enfrentará a los que fueron sus compañeros de armas, pero no quiere extraviarse ahora en esas especulaciones, sabe que con el paso del tiempo cesarán el peso del dolor y la sofocante soledad que amenazan con instalarse en su pecho, que terminarán un día, igual que lo hace el largo declinar del verano.

Detrás de Gonzalo y a cierta distancia, porque su posición en la sociedad no les permite acercarse a un miembro de la nobleza, se reparten por la arena varios grupos de curiosos aliviados por la marcha de los extranjeros.

Jerónimo, desde la cubierta del barco y al lado del capitán Ordás, mira hacia la playa; todo se ha desarrollado de una forma extraña e insospechada. El tiempo, que para él se detuvo el día de su desgracia, cuando lo apresaron y lo esclavizaron, había transcurrido de una forma muy distinta para Gonzalo: aquel hombre callado y melancólico con el que cruzó el Mar Océano había dejado de existir, y alguien nuevo ha renacido bajo su piel, alguien que conserva su semblante noble, su dignidad y su prudencia, pero que le resulta irreconocible. Jerónimo levanta la mano y con un irreparable sentimiento de pérdida se despide de su amigo. La separación es para siempre, pero no siente tristeza, sino una fría inquietud que es vicaria del desencanto. En la orilla, Gonzalo le devuelve el saludo.

—No te... te engañes por la apariencia de un acto de amor —dice el capitán Ordás a la vez que las velas se hinchan a sus espaldas—. Su vida está aquí. Si hubiera sentido el más mínimo deseo de venir con nosotros, lo habría hecho.

—Perdemos un buen soldado.

—Nadie lo duda.

—Pero están sus hijos, y su mujer...

—Eres un hombre religioso, Jerónimo, crees en eso que los curas llaman el vínculo sagrado del matrimonio y tal vez no lo comprendas, pero, aunque una mujer aparente ser una salvación para un hombre, las más de las veces es solo una trampa.

Ordás se gira y ordena al jefe de artilleros:

—¡Una salva de respeto!

Y los artilleros disparan, uno tras otro, con cadencia marcial, ocho cañonazos que rompen el silencio de la bahía como si fuera de escarcha. El estruendo asusta a los mayas que han acudido a la costa y algunos se arrojan al suelo y se cubren la cabeza con las manos. Gonzalo, sin inmutarse, con la mirada perdida en la borrosa soledad del aire, tranquiliza a sus hijos.

—No os asustéis. Es su forma de despedirse de mí.

SIETE

Un día después, bajo una borrasca de vientos húmedos y destellos en el cielo que muchos interpretan como un mal presagio, Ach Nachán convoca el Consejo de los Diez a petición de Gonzalo; el Halach unuic está viejo y cansado, y su rostro refleja la serenidad de quien intuye que no vivirá para contemplar las últimas consecuencias de sus decisiones.

—Supremo Maestro Mago —dice Ach Nachán—, principal nuestro, hijo de Antiguo Secreto y de Antigua Ocultadora, tú que descendiste al inframundo, danos la luz de tu juicio y guía nuestro entendimiento.

Ach Nachán habla desde el centro de una estancia circular. A su alrededor, y sentados en un banco corrido de piedra con forma de herradura y cubierto con una estera, se distribuyen los ancianos, diez hombres vestidos con ropajes enjoyados y con las cabezas adornadas con plumas. También asisten Gonzalo y Kinich, jefe de guerreros, que se mantienen de pie en uno de los laterales.

—Os hablo a vosotros, los que estáis sobre la tierra, los herederos de la sangre. Mis hermanos. Ya todos sabéis, porque nos lo ha dicho mi hijo, que esos que llegaron ayer por el mar serán los hacedores de nuestro infortunio. Que no deben cegarnos sus halagos ni sus presentes, porque vienen cargados de embelecos. Esos hombres son fuertes y poderosos, y quieren arrebatarnos la tierra. Gonzalo los conoce bien, porque viajó y fue a la guerra con ellos, y por eso le he pedido que venga al consejo y que nos explique cuanto sabe.

Ach Nachán mira a Gonzalo y lo invita a acercarse al centro de la sala. Nunca alguien ajeno a los diez había tenido voz en sus reuniones, nunca alguien que no hubiera nacido en Chactemal había entrado en la estancia sagrada.

—Gracias, Ach Nachán, por cederme la palabra, y gracias a los miembros del Consejo de los Diez por escucharme. Todos sabéis qué decisión tomé ayer y cuáles serán sus consecuencias. Los españoles regresarán; no lo harán mañana, ni en las próximas lunas, el hombre con el que hablé me dijo que se han asentado mucho más al norte, en la isla de Cozumel, pero un día en la siguiente estación, o el próximo año, la bahía amanecerá con numerosos barcos como el que habéis visto, y sus cañones escupirán fuego y bolaños de piedra que arrasarán la ciudad. No tenemos fuerzas para resistir, ellos saben cómo atacar una ciudad costera, lo han llevado a cabo cientos de veces con éxito y nos masacrarán.

—¡No pongas en duda del valor de nuestros guerreros! Nos enfrentaremos a ellos con la ayuda de los dioses y sus cabezas rodarán por la escalera del templo mayor —dice Hunab, el mayor de los diez, incómodo por la presencia de Gonzalo en el consejo y por el derrotismo de sus afirmaciones.

—Nunca he dudado de ese valor —contesta Gonzalo—, aquí está Kinich, nuestro nacom, él sabe que los admiro y respeto, que soy uno de ellos en el campo de batalla, pero la carne, por valiente que sea, se abre al oponerse al metal. Os aseguro que somos vulnerables y que si esperamos aquí su llegada perderemos la guerra.

Algunos ancianos murmuran quejumbrosos y dirigen miradas de indignación a Ach Nachán, que levanta la mano en señal de silencio y toma la palabra:

—No os agrada lo que escucháis. Sois buenos frutos de esta tierra y no podría ser de otra forma. A nadie le gusta que le anuncien la desgracia, mas esa desgracia puede elevarse desde el mar en cualquier momento y envolvernos igual que un vapor. Os pido que confiéis en mi hijo, que a partir de ahora le atendáis como lo harías si fuera yo quien hablara. Me faltan las fuerzas necesarias para guiaros en los días difíciles que vendrán, pero él sí las tiene. Cada palabra que diga Gonzalo, a partir de ahora, será igual que si saliera de mi boca. Obedecedle.

La determinación de Ach Nachán obliga a recapacitar a los diez, que vuelven a atender a Gonzalo. Fuera, el cielo está oscuro y ha empezado a llover.

—Continúa, hijo de nuestro Halach —dice Hunab—. Explica al consejo qué crees que debemos hacer.

—Abandonar la ciudad —sentencia Gonzalo.

Nadie reacciona en el banco de piedra. Su respuesta les ha atravesado como un viento frío.

—Buscaremos un nuevo emplazamiento en la profundidad de la selva, al sur, lejos de la costa, más allá de los pantanos, en alguna de las viejas ciudades; organizaremos varios perímetros de vigilancia y los sembraremos de trampas. El jaguar y la serpiente estarán con nosotros. Su fuerza disminuye donde no pueden hacer llegar los cañones, y sus soldados no saben moverse ni luchar entre la maleza. Nuestra única oportunidad será convertir la selva en un laberinto tenebroso.

OCHO

Levan anclas y Cortés ordena que la flota toma la derrota del norte, hacia la punta de Catoche, el cabo más septentrional de la península de Yucatán. Han sabido por los indígenas que las tierras más ricas en oro se encuentran al noroeste, circunnavegando la costa, y que allí viven otros indios llamados aztecas o mexicas, a los que todos temen, aunque antes de alcanzar sus ciudades se encuentran las tribus de los aguerridos mayas chontales y, hacia el interior, las tierras de los indios totonacas, las de los otomíes y las de los orgullosos tlaxcaltecas.

Jerónimo viaja en la nao capitana de Hernán Cortés, que escucha su historia y entiende de inmediato la conveniencia de mantener a su lado a un hombre que llegó allí mucho tiempo antes que él y que conoce bien el terreno, la lengua y las costumbres de los indígenas. Durante la travesía, Jerónimo se gana su confianza con una sinceridad despojada de presunción, y Cortés vislumbra en su agradecimiento a un colaborador fiel e incorruptible.

Desde la cubierta contemplan la línea de costa y la inmensa espesura verde que discurre ante ellos, plana e impenetrable, sin desembocaduras de ríos, huérfana de montañas, en un monótono viaje que durante la primera jornada parece no tener más propósito que cartografiar el litoral de una gran península selvática.

Al amanecer del segundo día atraviesan cúmulos de niebla que parecen flotar sobre las aguas y huelen a tierra húmeda y a sargazos. A mediodía el velo fosco de las brumas empieza a disiparse y ven surgir a su espalda los once barcos de la expedición, uno tras otro, en un desfile solemne de silenciosas apariciones.

—Pensarás que soy un loco que persigue su propia sombra —dice Cortés a Jerónimo con la matizada suficiencia de quien no aguarda una respuesta—. No es así en absoluto. Un hombre cuerdo puede concebir locuras, igual que un orate puede decir de vez en cuando alguna palabra sensata, mas no hay locura en quien dedica muchos años de su vida, con toda su paciencia y su fortuna, a pergeñar, cimentar y levantar su propio sueño, por ambicioso que sea. Yo conquistaré y poblaré esta tierra para el rey de las Españas y para la cristiandad, pero eso es algo que no puede hacerse sin la necesaria meditación, sin estudiar cómo se mueven, cómo piensan y cómo respiran estos indios; ni tampoco ignorando qué les infunde un verdadero temor. Siempre hay nichos de horror en las creencias de los pueblos, fuentes secretas de superstición que los debilitan. Los compatriotas que nos antecedieron, Francisco Hernández de Córdoba y Juan de Grijalva, no fracasaron por falta de valor, sino por ir detrás de ellos aullando como lobos, sin pensar que a veces el perseguido puede rebelarse y plantar cara al perseguidor. Nosotros no cometeremos sus errores, no menospreciaremos su número, el viejo orgullo de su raza ni su capacidad de sacrificio. En la guerra, quien no condiciona los movimientos de su enemigo, acaba derrotado.

Cortés mantiene una actitud que a Jerónimo le parece enigmática, como si estuviera en posesión de una certeza que no quiere compartir con nadie.

—¿Te parece hermosa esta tierra?

—Muy hermosa, sin duda —responde Jerónimo mientras observa el horizonte verde y continuo.

—¿Y sabes por qué lo es? Por lo generoso que ha sido Dios con ella y lo poco que la han cambiado los hombres, a pesar de que detrás de esos árboles, a unas pocas leguas, se escondan ciudades con miles de personas.

—No os ofendáis por mi pregunta… ¿Cómo piensa vuestra merced derrotarlos siendo ellos tantos y nosotros poco más de quinientos?

—¿Miedo, alférez?

—No tengo miedo, señor. Es un privilegio que Dios concede a los que viven por segunda vez. Hace mucho que no me preocupo por mi envoltura mortal, solo temo la condenación de mi alma.

—Las muchas desgracias vuelven escéptico al hombre.

—No lo niego. Y desde luego que he perdido la confianza en el ser humano, si os referís a eso; ya no creo en sus fingidas bondades, en sus elogios interesados, en su presunto idealismo, sino en su inconsistencia. A veces pienso que el hombre es poco más que un mono sin pelo y con la capacidad de odiar.

Cortés examina a Jerónimo antes de responderle. Hay algo en él que le gusta, aunque no sepa definirlo. Tal vez la enorme dignidad de quien nunca presume a pesar de haber superado cuantas dificultades le ha puesto el destino por delante, o quizá por esa mirada sin sombras que comparten aquellos que se mantienen erguidos aunque lleven el alma hecha jirones.

—Quieres saber cómo los derrotaremos. Solo de una forma: crearemos una ensoñación, una conciencia de poder, una fuerza imaginaria basada en el delirio, el ímpetu y el movimiento; provocaremos una turbulencia tan fuerte en sus convicciones que no sospecharán, ni por un momento, que si nos hacen frente podrían vencernos.

Jerónimo mira a Cortés y ve en él a un hombre que no parece influido por la simple excitación de la aventura, sino determinado por un sentido utilitarista de la razón, alguien que limita el uso de la fuerza a la ajustada perspectiva de una voluntad práctica, como el escalpelo de un cirujano.

—Los hombres de aquí afirman que no se puede matar un venado sin disparar flechas.

—Dicen eso porque no conocen la pólvora.

La mañana del doce de marzo la flota alcanza la desembocadura del río Grijalva, un delta pantanoso de tierras bajas y tupidos humedales en el que las naos no pueden navegar, por lo que lo hace solo el bergantín y algunos bateles con soldados; su misión es aprovisionarse de agua y comida. Desde las embarcaciones, a través del vapor y las molestas nubes de mosquitos, divisan a cientos de guerreros escondidos entre los mimbrales y, a unas cuarenta varas de distancia, dos líneas de toscas albarradas dispuestas para la defensa de su ciudad.

Cortés ordena que una barcaza con Jerónimo, el indio Melchor y algunos soldados, al mando del capitán Alvarado, se acerque a la orilla para solicitar permiso a los indígenas para avituallarse. Al frente de los mayas chontales está su nacom, el jefe de guerreros, que sin contestar a la solicitud de Jerónimo, mira con desprecio a Melchorejo.

—¿Quién es ese que os ayuda?

—Se llama Melchor —contesta Jerónimo—, es un amigo de los españoles, como queramos que lo seáis vosotros.

—¿Melchor? No es nombre para un hijo de esta tierra.

—Es el nombre que recibió con las aguas del bautismo y por el que responderá de sus actos ante el verdadero Dios el día del juicio final.

—¿Y cuál es el nombre que le quitasteis?

—Nunca nos lo ha dicho.

—Si no tiene nombre no es una persona.

—Posee un nombre nuevo para honrar a su nuevo Dios.

—Regresad por donde habéis venido. Y llevaos con vosotros a ese traidor.

Jerónimo insiste con prudencia:

—Escucha bien lo que tengo que explicarte, nacom: Mi señor, el capitán Hernando Cortés, os pide con humildad agua y alimentos. No queremos nada más de vuestra tierra. Vamos de viaje y no nos detendremos demasiado tiempo aquí. Son muchos los hombres que esperan a bordo de aquellos barcos que veis en la desembocadura del río y necesitan bajar a tierra a descansar, comer y beber.

—Desconfiamos de vosotros. Vuestro aspecto es igual que el de los demonios. Nuestros hermanos de Chakán Putum nos contaron que unos que vestían como vosotros llegaron en grandes canoas a su ciudad hace casi diez lunas, y que lo hicieron con malas intenciones y tuvieron que darles guerra y muerte a muchos de ellos, y que los derrotaron, y para aviso de quienes vinieran más adelante permitieron que se pudrieran sus cuerpos en las playas y en las ciénagas y que los devoraran los cuervos.

—Nosotros no venimos en pie de guerra contra vosotros, nada tenemos que ver con aquellos de los que hablas, solo necesitamos agua y comida.

—Si queréis agua, cogedla del río o haced un pozo; si queréis alimento, ahí está la selva, id a cazar, es lo que hacemos nosotros.

—No cederán —afirma Jerónimo mientras gira la cabeza hacia Alvarado—. No quieren que desembarquemos. Saben lo que ocurrió con la expedición de Grijalva y están prevenidos.

—Ya hemos tenido suficiente paciencia con este salvaje. No sé qué haces hablando con él. Amenázale.

Jerónimo piensa que sería mejor no insistir y buscar los víveres un poco más adelante, en otro punto de la costa, pero no se siente en posición de objetar a un capitán.

—Cometes un error, nacom, un error que traerá mucho mal a tu pueblo. Todo lo que no nos cedáis ahora, que os lo solicitamos como favor, lo perderéis más tarde. Traeremos hasta aquí un barco con cañones que escupen fuego y muchos hombres con armas, y tomaremos cuanto queramos por la fuerza. Es tu última oportunidad. Piensa en el bien de tu gente. Si no cedes a nuestras peticiones, acabaréis convertidos en nuestros esclavos.

El nacom mira a Jerónimo con una profunda desconfianza, como si él y esas enormes construcciones flotantes formaran parte de un encantamiento, pero no duda su respuesta, ni consulta con nadie su decisión.

—Si pisáis nuestra tierra, os mataremos.

Al cabo de dos horas los españoles regresan con el bergantín, en el que han montado una línea de cuatro cañones; han dispuesto en su cubierta a los arcabuceros y los escopeteros en dos filas de ataque, los primeros apoyados en la bordada y el resto preparados detrás. Sobre las aguas del río, más de veinte barcazas llenas de soldados armados con lanzas y espadas esperan la orden de Cortés para desembarcar.

Jerónimo se acerca a la primera línea acompañado por Diego de Godoy, el escribano de la expedición, el hombre que ejerce el empleo de notario del rey en esas tierras.

—¿Cuál es el total de sus fuerzas? —pregunta Cortés a Alonso Hernández desde la cubierta del bergantín.

—En la orilla he contado unos trescientos, pero el emisario del capitán Dávila afirma que la ciudad es grande, que vivirán un par de miles en ella, con muchos niños y mujeres.

—¿Dávila se encuentra en posición?

—Escondido en la retaguardia de la ciudad, con cien soldados, veinte caballos y diez arcabuceros.

—¿Preparada la artillería?

—Los cañones están a punto, capitán, y los arcabuceros han prendido las mechas —contesta Alvarado.

Cortés levanta la voz y se dirige a los de la primera barcaza:

—¡Escribano, da lectura al requerimiento! ¡Aguilar, traduce!

Godoy extiende el largo pliego de papel y empieza a leer en un castellano solemne el requerimiento, con las necesarias pausas para que Jerónimo traduzca sus palabras al idioma del nacom.

—De parte del muy poderoso y muy católico defensor de la iglesia, siempre vencedor y nunca vencido, Don Carlos, rey por la Gracia de Dios de las Españas, soberano de los Países Bajos, rey de Nápoles y Sicilia y de Jerusalén, archiduque de Austria, rey de los romanos y de las islas y tierras firmes del Mar Océano les hago saber: Que Dios nuestro señor único y eterno, creó el Cielo y la Tierra, y a un hombre y una mujer llamados Adán y Eva, de quienes nosotros y vosotros y toda la humanidad somos descendientes y procreados y lo serán todos los que vengan después; que esto sucedió hace más de cinco mil años y que se hizo necesario que unos hombres fuesen de una parte y otros fuesen por otra y se dividiesen por muchos reinos y provincias, porque en una sola no se podrían sostener ni conservar...

Jerónimo traduce y los chontales se miran entre ellos sin comprender esa confusa palabrería, pero han acordado no actuar mientras los extranjeros se mantengan en el agua. Diego de Godoy permite terminar a Jerónimo, toma aliento y continúa:

—Que de esos descendientes hubo uno de nombre San Pedro al que todos los habitantes del mundo obedecieron y fue cabeza de todo lo humano, donde quiera que los hombres estuviesen y viviesen al amparo de cualquier ley o creencia, y como quiera que le mandó poner su silla en Roma y desde allí regir el mundo, también le permitió que pudiese estar y poner su silla en cualquier otra parte y juzgar y gobernar a toda la gente, cristianos, moros, judíos, gentiles y de cualquier secta, a este lo llamaron Papa, que significa admirable, mayor, padre y guardador. Y que vinieron otros santos pontífices después de él, y el último de ellos hizo donación de estas islas y tierras firmes del Mar Océano a los reyes de las Españas y a sus sucesores, con todo lo que en ellas hay...

Los mayas se inquietan, pero mantienen un vestigio de prudencia.

—...Estas altezas nos han mandado a nosotros para que prediquemos y enseñemos la Santa Fe y para que todos os hagáis cristianos, además de leales súbditos y vasallos del rey Don Carlos, de forma que les obedezcáis y sirváis con buena voluntad y sin ninguna resistencia...

—¡Abrevia, Godoy! —grita Cortés desde el barco.

—Si así lo hicieres —lee el escribano con mayor premura—, te ha de ir bien y en nombre de sus altezas se os recibirá con todo amor y caridad, os dejarán vuestras mujeres, hijos y haciendas libres, sin servidumbre, para que seáis libres de hacer lo que quisieres y por bien tuviereis, y no os obligarán a que os hagáis cristianos, salvo si vosotros, informados de la verdad, os quisierais convertir a la religión católica, y además de esto su Alteza dará muchos privilegios y exenciones que gozarán muchas veces. Si no lo hicieres o en ello dilación maliciosa pusieres, os certifico que con la ayuda de Dios entraré poderosamente contra vosotros y os haré la guerra por todas las partes y maneras que tuviere y sujetaré al yugo y obediencias de la Iglesia y de sus Altezas y tomaré vuestras personas y las de vuestras mujeres e hijos y los haré esclavos y como tales los venderé y dispondré de ellos, y os tomaré vuestros bienes, y os haré todos los males y daños que pudiere como a vasallos que no obedecen y que no quieren recibir a sus señor y le resisten y contradicen; y por todo esto, las muertes y daños que de ello se deriven serán la culpa vuestra y no de sus Altezas ni mía, ni de estos caballeros que conmigo vinieron... Con lo dicho, queda expuesto el requerimiento y los presentes son los testigos.

Jerónimo, antes de traducir las últimas palabras, encomienda su alma a Dios y le pide perdón en secreto por sus pecados, pues no duda que habrá una batalla. Tras escucharlas, los guerreros chontales sienten una profunda desazón, aprietan los dientes y sus ojos muestran una forma de rabia penetrante, dolorosa, que no se puede enjuagar sino con sangre. El nacom mira al suelo, inspira por las ventanas de su nariz hasta llenar su pecho de aire, agita la cabeza a ambos lados como si la tuviera invadida por insectos y lanza un inequívoco grito de guerra:

—¡Hasta la muerte!

Los guerreros repiten el grito con él, y algunos hacen sonar una música desordenada chocando entre sí unos bastones de madera huecos rellenos de semillas y soplando por silbatos de barro, flautas y caracolas; otros bailan como poseídos y todos parecen formar parte de una escenografía bien ensayada mientras los arqueros disparan sus flechas contra los españoles, que bajan las viseras de las celadas y se cubren como mejor pueden con las adargas a la vez que aguantan en pie sobre los bateles. Las flechas, frágiles y con punta de madera afilada, silban sobre sus cabezas como una bandada de vencejos, pero rebotan en los escudos, los petos, los faldares y las otras piezas de las armaduras sin herirlos; algunos hombres se desequilibran y caen al río, donde, a pesar de la poca profundidad, no les resulta fácil salir a la superficie por el peso de sus defensas y por el mucho cieno del fondo, que se adhiere a sus botas y no les permite avanzar. Jerónimo es de los primeros que caen al agua; pero al no llevar piezas de metal nada un trecho bajo la superficie, se aferra a la popa de la barcaza y esconde la cabeza detrás de unos tablones; desde allí ve a un indio con los dientes afilados y los ojos estrábicos meterse al agua e intentar encaramarse a una de las barcazas y a un soldado hundirle la espada en el cuello y sacársela por la espalda, y a otro indio más joven, casi desnudo y pintado de negro, que desprecia el riesgo y también lo intenta pese al fracaso del anterior, pero antes de que consiga subir a bordo recibe un mazazo en la cara que lo devuelve al agua chorreando sangre por los oídos, en medio de convulsiones extrañas. Siguen volando las flechas, que oscurecen el cielo y alcanzan sin ímpetu el casco del bergantín para luego caer al agua y transformar la superficie del río en una empalizada ondulante. En medio del desorden, Jerónimo escucha la voz de mando de Cortés:

—¡Atacad los remos! ¡Ganad pronto la orilla!

Los remeros empiezan a bogar hacia la orilla, pero los mayas están decididos a que los invasores no pisen su tierra, y sin que nadie se lo ordene, siguen el ejemplo de los más arrojados, tiran al suelo sus arcos y, enarbolando cuchillos de pedernal y con gritos desquiciados, se lanzan al agua para intentar volcar las barcazas; con alguna lo consiguen y los soldados que caen al agua se ven obligados a bracear apoyándose entre ellos para evitar ahogarse.

—¡Fuego de arcabuces! —ordena Cortés.

La hilera de arcabuceros dispara a los chontales desde el bergantín y siete indios caen fulminados, sin que nadie en la orilla comprenda qué ha pasado ni qué relación mágica pueden tener esos cuerpos desplomados con el estruendo de los disparos. Se produce un momento de indecisión, un atisbo de miedo, pero los mayas se saben más numerosos y continúan repeliendo, cuerpo a cuerpo y con el agua hasta la cintura, la llegada de los bateles a la orilla. Sobre el barco, los arcabuceros han dado un paso atrás para volver a cargar sus armas y ahora son los escopeteros y los ballesteros quienes disparan, en un relevo atroz, rítmico y constante que siembra el río de cadáveres con las cabezas abiertas y con obscenas heridas en sus pechos y sus vientres, que manan sangre sin cesar formando sinuosos regueros carmesí que se alejan hacia la desembocadura.

—¡Artilleros! —grita Cortés—. ¡Fuego de cañonería!

Y unos descomunales estruendos, como los indios no habían oído más que en las peores noches de tormenta, cuando su dios Chaak golpea las nubes con un manojo de serpientes para provocar la lluvia, rompen el aire. Los bolaños de piedra, fragmentados en docenas de proyectiles tan grandes como puños, arrasan las primeras filas de los indígenas y alcanzan las copas de los árboles, partiendo de cuajo las ramas, que caen con un estrépito de esqueletos inmensos y aplastan a los guerreros agazapados en la retaguardia. En un instante, a la vez que el viento lleva la humareda densa y grisácea de la pólvora hacia la ribera y los ciega, algunos supervivientes arrojan las armas y empiezan a trepar por las piedras resbaladizas de la orilla ayudándose con las manos y otros gritan y salen corriendo del fango como si estuvieran delante de todos los demonios del inframundo. En un soplo de confusión y de muerte las líneas se han roto y se produce una estampida de indios heridos y desconcertados que huyen hacia la selva sin mirar atrás, empujados por el pánico.

NUEVE

Cuando los españoles desembarcan, el rastro de los chontales ha desparecido en la selva. Hay troncos quebrados por el efecto devastador de los cañones, muertos aplastados por las ramas y otros caídos bajo el fuego de los arcabuces. Entre las columnas de humo ven regueros de sangre e hileras de plantas aplastadas que confluyen en la espesura y les hacen sospechar el camino por el que los indios se adentraron en el masivo laberinto de los árboles quebrados y las ramadas, aunque algo más allá se pierde el rastro, de repente, igual que si esos hombres fueran capaces de avanzar sin tocar el suelo, o como si un sortilegio los hubiera ocultado a todos al mismo tiempo. Saben que están allí, aunque no puedan verlos ni oírlos, escondidos en algún sitio que consideran seguro, lejos de su ciudad, pero no a tanta distancia como para renunciar a ella por muy severa que haya resultado su derrota, porque mientras Cortés atacaba por la costa, el capitán Dávila y sus hombres, al escuchar los primeros disparos, lo habían hecho por la parte de atrás de la ciudad, sorprendiendo a una guarnición de guerreros, los más jóvenes y menos preparados, que se había mantenido en la retaguardia al cuidado de las mujeres, los ancianos y los niños. La refriega se desarrolló en la plaza que ocupa el centro de la ciudad, un recinto amplio y rectangular con un árbol milenario en su centro donde no ocurría nada desde los tiempos lejanos de las guerras con los hombres de Cupul. Los jóvenes defensores de la ciudad no han sido enemigos para el fuego de los arcabuces y las violentas cargas a caballo. La arena de esa plaza ha quedado cubierta de tanta sangre que los vencedores no dan un paso sin mancharse con su barro pegajoso, sucio y rojizo. Los soldados abren una senda para que transiten hombres y caballos, miran a los lados con la incómoda sensación de haber profanado un santuario y amontonan en los márgenes docenas de cadáveres de indios, unos casi desnudos y pintados de negro y otros vestidos con ropas estrafalarias, adornados con collares de garras de mono y tocados con plumas de colores. Los más curiosos se atreven a acercarse a ellos y a separarles los labios para verles los dientes afilados, como de alimaña, y les arrancan los adornos de las orejas porque les parecen de oro y los pequeños huesos que les atraviesan la nariz; algunos siguen malheridos y se retuercen de dolor sin que nadie se atreva a tocarlos, porque aun moribundos rechazan cualquier ayuda de los invasores y se rebelan contra ellos como si fueran demonios, a manotazos y mordiscos. Mientras, junto al árbol milenario, un grupo de seis o siete que apenas han llegado a la adolescencia se mantienen agazapados, aturdidos por el miedo, atentos a los fantasmas de piel blanca, sentados en el suelo muy cerca los unos de los otros.

Jerónimo entra a caballo en la ciudad con el grupo de Hernán Cortés, Alonso Hernández y Pedro de Alvarado, al frente de doscientos hombres protegidos por sus armaduras y con las cabezas enfundadas en sus yelmos, entre destellos metálicos que son como diminutos rayos de luz que se dispersan bajo el sol de mediodía y que deslumbran a los derrotados. Cruzan la plaza al paso, en medio de un silencio turbio de supersticiones, lamentos anónimos y muerte reciente; ven cuerpos mutilados, charcos de sangre que impregnan la desnudez de la tierra, cabañas reducidas a escombros y pequeños fuegos que calcinan los almacenes de alimentos.

Cortés da descanso a la tropa, ordena descabalgar a los jinetes y junto a Jerónimo y los capitanes entran en la mayor de las casas, la que el indio Melchor ha identificado como la del cacique Tabscoob, que quiere decir Señor de los Diez Jaguares. La casa respira un aire vetusto de antigua grandeza, con paredes estucadas con yeso que dibujan filigranas de rombos y estrellas, vistosas pinturas murales de la creación del mundo y enormes esteras blancas y verdes adornadas con plumas que acumulan polvo colgadas en las paredes del patio, pero la encuentran vacía; no hay nadie en las habitaciones privadas, ni en ninguna de las ocho estancias solemnes que circundan una sala elipsoidal con gruesas columnas y un elegante asiento de piedra; recorren después los dormitorios decrépitos de los esclavos, atraviesan vanos sin puertas de los que cuelgan cortinas ajadas y entran en salas desnudas que contienen flores secas y plantas rastreras. A veces la casa les parece un laberinto en el que creen estar perdidos y en ocasiones tienen la sensación de haber atravesado ya ese mismo pasillo en dirección contraria o de hallarse por segunda vez en una estancia que les resulta familiar porque habían entrado en ella por otro acceso. En las cocinas aún calientan las lumbres, y en los almacenes de suelos combados se amontonan filosos cuchillos de pedernal, vasijas de barro crudo y unas jaulas de ramas trenzadas en las que encierran los gallinazos. Casi por casualidad descubren sentadas en el suelo y escondidas en la penumbra del almacén principal a algunas mujeres que se identifican como criadas y que les piden clemencia postradas a sus pies. Luego atraviesan una sala llena de cabezas de ídolos que huele a incienso de copal y encuentran a un guerrero maya tirado en el suelo, con un corte limpio en el bajo vientre por el que se ha eviscerado; todavía agoniza y apenas puede sostener sus entrañas con las manos. Al verlo, Jerónimo siente que la bilis se le viene a la boca y no consigue evitar el vómito.

—Les dimos una oportunidad, Aguilar —dice Cortés—. No es culpa nuestra que no aceptaran el requerimiento. No ocurrirá así en todos los sitios. Controla tus tripas, te queda mucho por ver.

Alvarado hace un gesto a un infante y este se desplaza detrás del herido, saca su puñal del cinto y termina con su agonía clavándoselo en la nuca.

Salen de la casa y llegan al centro de la plaza, donde está el capitán Dávila, que saluda marcial a Cortés.

—Ciudad tomada y rendida, capitán.

Cortés mira en su entorno. El espectáculo de desolación y sangre hace redundante la frase de Dávila. Hay más cadáveres de los que puede contar, aunque ninguno es de los suyos.

—¿Cuántas bajas hemos sufrido?

—Dos muertos y cuatro heridos.

—¿Los heridos son de gravedad?

—No, capitán, ya les han cauterizado las heridas, saldrán adelante.

—¿Y los caballos?

—Sin lesiones que los invaliden; las pocas llagas que tenían las hemos limpiado con grasa para que sanen. Los animales han sido una gran ventaja. Los indios estaban horrorizados; cuando los veían al galope corrían despavoridos.

—¿Cuántos indios escaparon?

—Casi la mitad, unos ochocientos. Si le parece oportuno a vuestra merced deberíamos organizar una batida. Huyeron por la franja de tierra firme que queda entre los pantanos.

—Que Pedro de Alvarado y Francisco de Lugo lleven cien hombres consigo y que se adentren no más de dos leguas en la selva. Que reconozcan la zona y la aseguren, los demás traed aquí a nuestros heridos y organizad un campamento. No los perseguiremos por la espesura de la selva, es lo que ellos esperan, la noche nos sorprendería en su terreno y podrían emboscarnos. Nos haremos fuertes en la ciudad y mañana negociaremos con sus jefes.

Cortés levanta la vista y se detiene ante la ceiba inmensa que preside la plaza.

—¿Cómo llaman los indios a esta ciudad?

—Algo parecido a Potonchán —contesta Alonso—. Melchorejo dice que quiere decir «la región del cielo».

—¿Y a este árbol?

—Es una ceiba sagrada —dice Jerónimo mientras eleva el rostro hacia su copa amplia y horizontal— en sus creencias conecta los tres planos del universo; las raíces se hunden en el inframundo, el tronco está en el mundo terrenal y las ramas se abren a los trece estratos del cielo. Por eso es frecuente verlos en sus plazas.

Cortés desenvaina su espada y realiza tres profundas muescas en el ceniciento tronco del árbol.

—Tomo esta ciudad de Potonchán en nombre de nuestro Señor Jesucristo y del rey Don Carlos para que forme parte de los dominios de las Españas y de la fe católica, y es mi voluntad que, desde hoy, por ser el día de la Encarnación del Divino Verbo, se la conozca en el mundo como Santa María de la Victoria.

—Dios sea loado —contesta Alonso.

—Dios sea loado —repiten los otros capitanes.

—Jerónimo, pide a fray Bartolomé de Olmedo que prepare una misa. Y que bautice a los prisioneros. Hay muchas almas que reconducir al seno de la Iglesia en esta nueva tierra. Mandad unos hombres a que vacíen la casa principal de esos falsos ídolos y que en la estancia más grande coloquen un altar para poner allí un estandarte con la imagen de Nuestra Señora, con muchas flores a sus pies; y que cuelguen de la pared una cruz de madera bendecida por el fraile.

Al atardecer, mientras los soldados cavan grandes fosas comunes para enterrar a los muertos y arden las primeras hogueras, Jerónimo camina taciturno entre los cadáveres amontonados y se detiene de vez en cuando junto a ellos para susurrarles una plegaria. No ve en ello ninguna contradicción; aunque esos indios vivieran ignorantes de la fe católica, su conciencia piadosa le hace pensar que el aire plomizo de la devastación solo puede disiparse con alguna muestra de amor.

—¡Eh, Aguilar! —le dice un escopetero—. ¿Qué buscáis por ahí? ¿A vuestro amigo el que se hizo indio?

—Yo no daría un real por su vida —dice otro—. Valiente traidor. ¿Por qué no os quedasteis en Chactemal con ese renegado? ¿A vos no os gustan las indias?

Los cuatro hombres que los acompañan, altivos escopeteros como ellos, rompen en una sonora carcajada.

Jerónimo se acerca a los soldados cabizbajo, con la misma actitud humilde con la que un día salió de su casa, cruzó el Mar Océano y llegó hasta estas lejanas tierras; la misma con la que ayudó a sus compañeros a sobrevivir en el batel y a fugarse de la choza; la misma con la que se enfrentó tantas veces a la muerte; pero al llegar hasta ellos levanta la cabeza y les mira a los ojos para hablarles con la firme superioridad de quien se acerca a un niño sabiendo que sus palabras no van a ser una simple explicación, sino también una forma de castigo.

—Vosotros estáis ahí sentados, con esa vana prepotencia que os da a los jóvenes la falta de derrotas, que es lo mismo que decir la falta de años, y sonreís porque alguno tan estúpido como vosotros os ha hecho creer que en poco tiempo dominaréis esta tierra y conseguiréis sus tesoros sin más esfuerzo que apretar unas cuantas veces esos gatillos. No conocéis nada de esta parte del mundo. Ni habéis visto nada todavía. Todo ha sido llegar en vuestros flamantes barcos, matar a unos cuantos indios sin mancharos las manos de sangre y sentaros ahí a charlar y a beber amontillado entre los muertos, huérfanos de toda humildad y virtud cristiana. No sabéis lo que piensan ni cómo son esos otros hombres, y aunque sospechéis que tal vez también son hijos de Dios, lo cierto es que no os importa. No los despreciéis, porque ellos defienden su tierra y algún día os harán conocer el horror; no será hoy, pero ese día llegará, podéis estar seguros; padeceréis el verdadero miedo, el que os ablandará las entrañas, el que os hará desear la muerte, el espanto. Entonces no reiréis, os aseguro que ninguno de vosotros tendrá las ganas ni las fuerzas necesarias para ello. Y aunque el día de vuestro horror está aun por llegar, al menos respetad a los que ya lo hemos conocido.

Nadie responde. Jerónimo contempla sus semblantes en una cadencia lenta, muda y punitiva que les obliga a bajar la cabeza.

—A mí el horror me ha enseñado a mostrar compasión por los vencidos y a entender que la misericordia es más poderosa que el odio; veremos qué os enseña a vosotros.

El primer amanecer tras la batalla trae un olor de carne muerta y maderas quemadas. Los soldados de guardia llevan dos horas escuchando trinos de pájaros y gritos de monos, el nervioso resoplar de los caballos y los lamentos de los heridos cuando, con las luces más tempranas de la aurora, Cortés hace llamar a Jerónimo y a sus capitanes.

—Saucedo, que liberen a los cinco prisioneros varones de menor edad. Los que se hallan junto a la ceiba.

—¿Los dejamos marchar donde quieran, capitán?

—No. Nos llevarán hasta sus mayores. Que los acompañe Melchorejo. Informarán a su cacique, ese al que llaman Tabscoob, que los dejo libres en muestra de buena voluntad, que deseo parlamentar con él para darle noticia del verdadero Dios y para acordar una paz duradera entre nuestros pueblos.

—El indio Melchor escapó anoche, capitán —dice Alonso—. No hay rastro de él.

—¿Ese miserable ha desertado?

—Habrá ido a la selva, con los suyos. No debe extrañarnos. Fue cerca de aquí donde lo capturó Hernández de Córdoba. Solo nos fingía lealtad. Ha esperado que lo trajéramos a su territorio para fugarse.

—No puedo decir que me importe. Nunca me gustó su lengua tramposa, siempre dispuesta a añadir frases por su cuenta y a olvidarse de otras. Pero es un inconveniente, en poco tiempo los caciques de esta zona sabrán nuestros efectivos y con qué armas contamos. Jerónimo, libera tú a esos cinco prisioneros y habla con ellos antes de que se vayan, asegúrate de que comprenden el motivo por el que van a recuperar la libertad y la obligación que contraen con nosotros, diles que si no cumplen nuestro mandato antes de que caiga la noche arrasaremos la ciudad y sus compañeros lo pagarán con sus vidas.

—¿He de viajar con ellos?

—No quiero que los acompañes, alecciónalos con lo que te he dicho y asegúrate de que lo comprenden. Persuádelos. No me arriesgaré a perder a mi único traductor. Aunque no lo sepas, eres el hombre más valioso de esta expedición.

Cortés hace una pausa, mira a sus capitanes y apoya su mano en el hombro de Jerónimo para asegurarse de que todos han comprendido lo que acaba de decir.

—Ya me habéis oído. No hay jocosidad alguna en mis palabras, porque este hombre es ahora mi lengua. Os conozco a vosotros y conozco vuestros códigos de honor, por eso sé que no le faltaréis al respeto, pero todos contáis con gañanes a vuestro mando y quiero que les hagáis saber que si alguno de ellos tiene la desgraciada ocurrencia de discutirle un celemín de terreno, una pieza de oro o una miserable brizna de pan, me los discutirá a mí; y si comete la equivocación de reñir con él o de hacerle algún daño, me lo hará a mí y lo pagará con su vida.

Nadie responde, ni el capitán aguarda ninguna respuesta. Cortés demuestra en contadas ocasiones su autoridad, pero cuando lo hace, habla sustentado por una fuerza granítica.

Jerónimo siente una conmoción en su interior, por primera vez Cortés le distingue frente a sus capitanes; ya no es el clérigo que consuela a los enfermos, ni el alférez sin experiencia, ni mucho menos el esclavo que aprendió a agachar la cabeza, a callar cuando le hablaban y a obedecer las órdenes de los indios; ahora forma parte de algo que supera todas sus ensoñaciones, de una empresa que le devuelve el deseo de vivir, y no permitirá que nada ni nadie lo postergue de nuevo a la irrelevancia.

CARTA DE JERÓNIMO DE AGUILAR A LA ABADESA DEL CONVENTO DE SANTA FLORENTINA DE ÉCIJA

Magnífica Señora:

Son muchos los años transcurridos desde de la última vez que nos vimos. Fue el día que hube de acompañar a mi madre, junto a otras beatas de alto ideal cristiano, para ingresar en el convento de mi añorada ciudad de Écija, que vuestra merced sirve y gobierna.

En esa entrevista le pedí a vuestra merced que por favor le leyerais a mi madre las cartas que pudiera enviar desde estas nuevas tierras, ya que ella es mujer de mucho coraje, pero de escasa instrucción, y no sabe leer ni escribir.

Tal vez os llame a sorpresa que sea esta la primera carta que le envío a mi madre en doce años, desde aquella que le hice llegar cuando arribé a Santa María la Antigua del Darién para servir a las órdenes de Vasco Núñez de Balboa; quiero que sepáis que no ha sido por falta de voluntad, ni porque haya menguado en lo más mínimo mi apego a la devota mujer que me trajo al mundo, sino por culpa de una turbadora sucesión de desgracias que ni deseo aquí relatar ni sería de mi agrado que llegaran a oídos de mi madre.

Si estáis leyendo estas líneas será porque Diego de Soto y las otras buenas personas que recibieron la encomienda de ir a la Corte por encargo de nuestro Capitán General Don Hernando Cortés, os la habrán hecho llegar. Aproveché el viaje de esos nobles señores, el primero con noticias ciertas de esta expedición y el mismo que lleva el Quinto del Rey de cuantos tesoros encontramos en esta tierra, que es de ochenta mil pesos de oro y un tiro de plata maciza llamado El Fénix, hecho con veinticuatro quintales y dos arrobas de ese metal, así como una Carta de Relación de todos los hechos que nos han sucedido para el preciso conocimiento del Rey Don Carlos, de forma que mi madre y vuestra merced podrán presumir de haber recibido estas nuevas al mismo tiempo que el rey.

Ha habido, señora, horrores y padecimientos que no quiero recordar, así como hechos de armas que huelgan la necesidad de ser descritos a santas mujeres como vuestras mercedes, que sostenéis a diario los invisibles cimientos del mundo con vuestras oraciones. Ni yo soy quién para enmendar las palabras que mi capitán general haya enviado al rey, ni quiero entristeceros relatándoos los difíciles caminos que a veces nos plantea el Señor en la prédica de su palabra.

Sí me gustaría que supierais, y que por ello se lo trasladéis a mi querida madre, que nada de lo que aquí ha sucedido, ni la conquista para España de todas estas tierras, ni la conversión de los cientos de miles de almas que las habitan, habría sido posible sin mi modesto concurso. Tened la certeza de que sin el papel que Dios Nuestro Señor tenía previsto para mí, Don Hernando Cortés y sus valerosos capitanes habrían podido alcanzar con el paso del tiempo las mismas metas, aunque sin duda por caminos harto más difíciles y con mayores peligros.

Después del triunfo de nuestras tropas en la batalla de Centla, cerca de la ciudad de Potonchán, hoy llamada Santa María de la Victoria, sus jefes indios, que huyeron tras su derrota y se escondieron en la selva, acudieron más tarde con muchas galanterías y con la intención de hacer las paces, y le regalaron a Don Hernando Cortés objetos de jade y malaquita, conchas de carey, mantas de algodón y varias piezas de oro bajo, además de veinte esclavas. No quiero que os escandalicéis, ni que dejéis de leer la carta porque os parezca que un hombre que sea un buen cristiano no debe aceptar el regalo de una esclava, no nos juzguéis con los ojos de quien vive la paz y la plenitud espiritual de la orden de Santo Domingo dentro de un convento, pues éramos hombres solos y estábamos en la selva, sin fuerzas suficientes para enfrentarnos a miles de indios, y se impuso el criterio de negociar con ellos, aceptar su cortesía para no ofenderlos y detener la guerra.

Una de esas indias que nos regalaron, la de mayor belleza, que respondía al nombre de Malintzin, le fue entregada a Cortés, que la mandó bautizar con el nombre cristiano de Marina. Al ser Don Hernando un hombre casado, se la cedió a su buen amigo el capitán Alonso Hernández Portocarrero, primo del conde de Medellín, segundo de nuestro capitán general y regidor en la Nueva España de la Villa Rica de la Vera Cruz, hombre soltero y tan necesitado como todos de una mujer que colaborase con él y aliviara sus soledades.

Don Alonso se dejó acompañar por ella y supo descubrir la intensa luz que desprendía. No era mujer del pueblo llano, sino una princesa nahua, hija de los caciques de un pueblo llamado Copainalá. Los suyos la llamaban Diosa de la Hierba y la que habla con vivacidad. Cuando su padre murió, fue vendida por su padrastro a unos traficantes de esclavos para usurparle los muchos bienes que componían su herencia; y después de varias transacciones fue a parar a manos del cacique Tabscoob, que fue quien se la ofreció a Cortés. Era una mujer sabia y prudente, conocedora de la lengua de los mexicas, el náhuatl, y por su esclavitud, también del maya yucateco. Alonso le hizo ver a Cortés que, usándonos a los dos como traductores, a Doña Marina del náhuatl al maya y a mí del maya al castellano, podría entenderse con la mayor parte de los pueblos de la Nueva España.

Así fue; Doña Marina me hablaba en maya y yo le traducía a Cortés, y después de muchas conversaciones así trianguladas supimos de la existencia del rico Imperio mexica, de la fastuosa ciudad de Tenochtitlán, que se asienta en el centro de un lago hacia donde se mete el sol, y de su rey Moctezuma, así como del mucho horror que estos indios, a los que también llaman aztecas, habían extendido entre los otros indios de los pueblos vecinos, en especial a los totonacas, a los que tenían subyugados, gravados con fuertes impuestos y obligados a entregar a sus hijos unas veces para esclavizarlos y otras para sacrificarlos en la cima de unas enormes pirámides con escaleras y donde con gran pompa esos indios mataban a la gente y les arrancaban el corazón del pecho y luego les cortaban las cabezas y construían con ellas una torre circular de calaveras y argamasa que es el mayor espanto que mis ojos han presenciado.

Los caciques de los treinta pueblos totonacas se reunieron con Cortés en la ciudad de Cempoal y sellaron con él una alianza para invadir Tenochtitlán. Tomó luego nuestro capitán general la difícil decisión de dar con los navíos al través, cosa que encargó a su amigo el capitán Juan de Escalante, de forma que no quedase en el puerto barco alguno que sirviera para que traidores o cobardes regresaran a la isla de Cuba. Dejamos en la Villa Rica de la Vera Cruz, donde antes de partir levantamos una iglesia, las anclas, los cables y las velas, y todo lo que guardaban las naves en sus bodegas que se pudiera aprovechar como maderas o como alimento; permanecieron en la ciudad Juan de Escalante para presidir el cabildo, los pilotos, los maestres viejos y los marineros que no estaban en condición de guerrear; les dejamos dos redes de pesca con un copo y dos bandas, de las que denominan chinchorros, para que en nuestra ausencia no les faltara qué comer.

Oímos la santa misa antes de partir y rezamos la Salve Regina y el Credo de los Apóstoles, y al entender que no teníamos posibilidad de volver atrás ni de arrepentirnos de nuestra empresa, Don Hernando Cortés nos hizo saber que Nuestro Señor Jesucristo estaría a nuestro lado y nos socorrería, porque éramos allí los únicos cristianos y no teníamos otra cosa que nuestro buen pelear y nuestros corazones llenos de ánimo. También nos dijo que no sintiéramos miedo, que en la misma tesitura puso el destino a Julio César antes de cruzar el Rubicón y que si él y sus valientes romanos salieron con bien de aquello, tres cuartas partes de lo mismo nos sucedería a nosotros.

Otros indios que allí vivían, los orgullosos tlaxcaltecas, que no estaban sometidos por los mexicas porque nunca los habían derrotado, pero que tenían muchas guerras con ellos, nos hicieron frente y nos dieron malas batallas, pero los vencimos y, tras harto negociar con los jefes de sus veintiuna ciudades, se nos unieron, porque estaban cansados de los muchos años que ya duraba la tiranía de los mexicas. Para todos aquellos pueblos, y hablo también de otros que se llaman cholultecas, que nos habían preparado una emboscada que fue descubierta por Doña Marina y que después de mucho porfiar se unieron al gran ejército que íbamos sumando, nuestra llegada supuso una esperanza de recobrar la libertad.

Contemplamos cosas en nuestro camino a Tenochtitlán que nunca antes habían sido vistas por cristiano alguno: una montaña humeante y que quemaba las plantas que crecían en sus faldas a la que todos decían la Dama Blanca; jaulas donde engordaban hombres como las que nosotros usamos para engordar pollos, pero con personas que no se pueden mover; ídolos que no reflejan santidad ni amor, que son cabezas de animales rabiosos y de demonios que amenazan a quien las mira enseñando las fauces; y por doquier hombres y mujeres que no entienden que el cuerpo es el templo del espíritu y que lo ensucian con feas pinturas y lo perforan con agujas y adornos.

El resto, señora, aunque con buen fin para los intereses de la Iglesia y de nuestro amado reino, es crónica de dos años de parlamentos, traiciones, muerte y violencia, nada que desee que vuestra merced sepa, pues no quiero que se le aflija el corazón, ni mucho menos que lo escuche mi madre.

Mando con esta carta unas piezas de oro y de plata, pues a pesar de estar lejos de ser un hombre rico, disfruto de una posición desahogada, soy dueño de una hacienda y ostento el gobierno de tres encomiendas. Es mi deseo que con la mitad del importe que os mando se cubran los gastos que os ocasione mi madre hasta el día en el que Dios Nuestro Señor la lleve ante su presencia; con la otra mitad, haga vuestra merced lo que más le convenga al convento, si han de repararse los muros con ello, engalanar una capilla con los mejores paños de Flandes o alimentar a los pobres, son asuntos que no seré yo quien disponga, sino vuestro buen criterio.

A la postre os digo, con no poca satisfacción, que soy un humilde sirvo de Dios, al que, después de haber visto de cerca el rostro más perverso del ser humano, se le ha permitido encontrar la paz, y os aseguro que he sido obsequiado en esta nueva tierra con todo lo que un hombre necesita para una vida plena. Recibí el sacramento del matrimonio junto a una buena mujer, natural de estas tierras, que bautizamos con el nombre cristiano de Elvira, y no hace muchos días supimos que crece en su vientre el que si Dios quiere será nuestro primer hijo.

Despídame por favor de mi querida madre con esta feliz noticia y hágale saber que no ha pasado ni un solo día en estos años en el que no la haya traído a mi memoria con añoranza y recordado en mis oraciones. Estoy seguro de que una mujer como vuestra merced, de tanta prudencia como preparación, sabrá transmitirle a mi madre una crónica benevolente de estos hechos y le hará presente mi ilimitado cariño y mi pena por no tenerla a mi lado, además del legítimo orgullo que puede sentir por la sacrificada vida de su hijo, ya que nada de cuanto he conseguido habría sido posible sin la inspiración de su amor y la firmeza de su ejemplo.

Dios Nuestro Señor las guarde a las dos muchos años.

Xerónimo de Aguilar,
Comendador en la Nueva España de las muy nobles
villas de Molango, Xochicoatlán y Malilla.
A quince de octubre del año 1524

EPÍLOGO
1536

Le máax ma'tu P'ilik u yich Bejla'e, mix Bik'in u Pilik.
(«Quien no abra los ojos hoy nunca los abrirá»)

UNO

Río Ulúa, Honduras; agosto de 1536

Ante sus cuerpos agazapados se extiende una gran superficie de agua; la noche es una negrura sin márgenes, escuchan el fluir de la corriente y huelen la tierra mojada, pero apenas pueden ver. En las orillas descansan cocodrilos inmóviles que asoman los ojos vidriosos por encima del agua y que no dejan de vigilarlos. Hay salientes de roca con forma de espigones, troncos encallados entre montículos de fango y una selva densa, continua, exuberante, que pugna por adueñarse también de las aguas y que arroja sobre ellas amenazadoras sombras crepusculares. Los soldados escuchan a lo lejos el fragor continuo de los rápidos como si les hablara una voz vacilante y les recordara que se mantienen allí, a la espera de que cometan un error, con sus recodos de espuma, sus caóticas turbulencias y sus hondonadas; ellos los temen igual que si fueran las puertas del infierno, saben que si se acercan demasiado el peso del cañón que han montado en la proa de la barcaza les hundirá en el fondo del río.

El alférez de la patrulla se siente en la obligación de ver un poco más allá que sus siete soldados, de ser el primero en avistar aquello que pueda cambiar el devenir de los acontecimientos, y asoma muy despacio la cabeza junto al cañón, en busca de algún destello de luz en la penumbra que delate la posición de sus enemigos. Al hacerlo arriesga la vida, porque los indios se emboscan en la espesura virgen y acribillan a flechazos todas las expediciones que se atreven a llegar hasta esa parte del río; él mismo vio morir a uno de sus hombres ensartado por una flecha que le atravesó la cabeza cuando se incorporó sin prudencia para hacer su relevo en el timón, y el recuerdo de esa imagen de espanto, con el soldado tembloroso y el asta incrustada en uno de sus oídos y la punta enrojecida en la sien del otro lado, se le hace presente cada vez que se asoma por encima de los demás. Siempre que remonta el río tiene la misma sensación: la de adentrarse en un mundo primitivo, sobrecogedor y desordenado, anterior a cualquier forma de raciocinio.

En la orilla izquierda los árboles se inclinan hacia la corriente igual que si formaran parte de un jardín suspendido y sus ramas más tiernas caen hasta acariciar la superficie del agua; en la derecha, allí donde sospecha que se esconden sus enemigos, un prolongado bajío arenoso complica la navegación, que se torna lenta e incómoda.

—Mirad allí —susurra a sus hombres, y señala un punto entre las sombras—. ¿Veis ese resplandor?

El artillero, un muchacho llamado Miguel que acaba de cumplir veintiún años, alguien que todavía ve con un asombro respetuoso ese universo cerrado y rebosante de vida, levanta la cabeza y mira en la dirección que le señala su superior.

—Sí, yo también lo veo, allí parpadea una luz.

—Es lo que buscamos. Por fin hemos encontrado su campamento. Piloto, acércate cuanto puedas. Cuida de no encallar.

El batel se desliza entre las corrientes, atraviesa la húmeda negrura y alcanza las aguas más calmadas de la orilla cerca de su objetivo, tanto como para distinguir las confusas siluetas de cuatro hombres sentados muy juntos alrededor de una pequeña fogata. El alférez sonríe; llevan muchos días de patrulla por el río en busca de esos indios, un grupo de guerreros rebeldes llegados desde el Norte que viven del pillaje y que hostigan a las tropas españolas con ataques rápidos e inesperados. Han perdido muchos hombres y las órdenes son acabar con ellos a cualquier precio.

—¿Están a tiro del cañón? ¿Cuánto serán, unas cincuenta varas?

—A esta distancia les alcanzaremos de lleno —contesta de inmediato el artillero, con una suficiencia que al alférez le resulta impropia de su edad.

—Solo tendrás una oportunidad.

—Podéis confiar en mí.

—El ruido de los rápidos impedirá que nos oigan al desembarcar. Vamos. No perderemos esta ocasión. Ayudad al artillero. Poned el cañón donde os diga.

Bajan a tierra, los soldados sacan la proa de la barcaza a la orilla, montan el cañón sobre suelo firme y dan tiempo al artillero para que elija la munición y calibre el tiro. Una vez preparado, Miguel busca con la mirada la autorización del alférez y, cuando la recibe, prende la mecha sin vacilación. Tras un momento de incertidumbre y respiraciones suspendidas, el cañón vomita con estrépito su carga de fuego y piedras y un desgarro de luz amarillenta surca el aire, chisporrotea entre los ramajes y alcanza el centro de la fogata india arrasándolo todo. El alférez no reprime una expresión de alegría y felicita al artillero, adelanta en su carrera a los soldados y llega antes que ellos al lugar del impacto, donde tras disiparse el humo solo encuentra un pequeño incendio, una tienda rota y vacía y cuatros espantapájaros vestidos con harapos.

—¡Es una trampa! —grita el alférez.

Los hombres se agrupan en círculo, con las espadas en las manos, echan rápidos vistazos a la espesura con el temor de que los indios surjan de las tinieblas para matarlos. Pero no sucede nada.

—¡Quietos! Disparad a lo que se mueva.

—¡Algo se ha movido ahí! —grita un soldado.

En un instante, tres de los arcabuceros disparan contra la sombra de un matorral por donde tal vez había pasado una alimaña.

Los arcabuceros recargan apresurados sus armas mientras los soldados se mantienen en una alerta tensa e incómoda a la espera de algún sonido sospechoso entre el fragor de los rápidos, aunque en torno a ellos reina una calma absoluta.

—¿Ha quedado alguien con el cañón? —pregunta el alférez.

—Miguel, el artillero...

—¿Solo un hombre?

El alférez comprende la añagaza y ordena que corran hacia el lugar desde donde dispararon. Los siete hombres cruzan la selva asustados, atropellándose, sin aliento, y cuando llegan a la orilla ven que la barcaza, con el artillero atado al cañón como escudo humano, ya está en mitad del río; en ella van cuatro guerreros mayas a los remos y otro hombre barbado y de mayor edad al timón que los mira desafiante.

—Por todos los demonios —dice el alférez—. Es el renegado.

Cuando Miguel recobra el conocimiento ya ha amanecido y dos indios lo arrastran por una vereda en medio de una vieja ciudadela maya de piedras grises y oscuras. Reconoce al final del sendero, entre la bruma, una elevada pirámide coronada por un santuario, una estructura casi vertical y con una sola escalera ennegrecida por la sangre de los sacrificios. La vegetación ha invadido las entrañas de las casas y sus estancias, y los tentáculos de la selva se han esparcido por las calles haciéndolas intransitables. Llueve con una intensidad de martirio, como si brotaran láminas de agua de las nubes y se precipitaran sin tregua sobre sus cabezas. Junto al sendero discurre un arroyo, un pequeño y abrupto cauce que en el pasado cumplió la función de cárcava para conducir las avenidas de agua, pero que ahora se ha vuelto caudaloso con las lluvias.

Dentro de él, parcialmente sumergida, se encuentra una jaula de troncos anudados con fibras de estero, una prisión concebida para animales salvajes en cuyo interior no hay piedad ni descanso, porque no queda espacio para mantenerse de pie, ni forma alguna de evitar las embestidas de la corriente. Los guerreros abren la portezuela superior y arrojan dentro a Miguel, que al caer al agua apenas mantiene el equilibrio.

—Ponte de rodillas —le dice una voz rota desde el otro lado de la jaula—. Acopla las rodillas en los huecos de abajo y agárrate con las manos a los troncos del techo. Te dolerá al principio, pero es la única forma de aguantar.

Miguel levanta la vista y ve entre las sombras a otro español, un soldado veterano sin fuerzas y sin esperanzas, alguien que lleva allí encerrado el suficiente tiempo para haber aprendido los trucos necesarios para sobrevivir. Sin contestarle ni demostrar agradecimiento, Miguel sigue su consejo y encuentra una posición tolerable bajo la lluvia incesante, mientras el agua del arroyo le cubre hasta los muslos.

Desde que partió del acuartelamiento de Chiapas con los hombres del gobernador Pedro de Alvarado, nunca había caído en manos del enemigo; su habilidad como artillero le mantuvo lejos del frente, siempre a cubierto y protegido por la infantería. Ahora ha empezado a conocer el sabor amargo de la guerra, el verdadero significado del peligro.

—Es pronto para morir —se repite a sí mismo una y otra vez con los ojos cerrados, mientras la lluvia salpica a su alrededor y tiembla por el frío y la humedad.

—¿Ves esa lanza de arriba? —dice el soldado.

Miguel levanta la cabeza y ve frente a él una empalizada. Hasta entonces no se había dado cuenta, pero ahora percibe con horror que la forman cuatro lanzas horizontales clavadas en maderos, y en cada una de ellas, ensartadas por las sienes, las cabezas de seis soldados españoles, algunas ya oscuras e invadidas por la podredumbre, todas mirándolos con sus ojos entreabiertos y su semblante de mármol, como testigos siniestros de su condena.

—Los mexicas llaman a eso *tzompantli*, el lugar de las calaveras, no sé si los mayas lo llamarán igual. A la derecha, mira la lanza de arriba y a la derecha. La que solo tiene cuatro cabezas... ¿La ves? Esa la completarán con la tuya y con la mía. Luego pondrán otra lanza y volverán a empezar. No tienen prisa. Quedaremos muy bien ahí los dos, uno al lado del otro, es una pena que no vayamos a verlo.

Miguel se gira aterrado, con un pánico irracional, vence el ímpetu de la corriente y se abalanza sobre el soldado.

—¡Callaos, grandísimo bellaco! ¿Me oís? ¡Callaos!

—Matan a uno al día, dos a lo sumo —dice riéndose—, esa mierda de religión sigue sus propios ritmos; con suerte vivirás hasta mañana.

El soldado está muy débil y Miguel le golpea una y otra vez, se aferra a su cuello y le sumerge la cabeza en la corriente para que no hable, hasta que casi lo ahoga, hasta que relaja los músculos y deja de moverse, pero no es capaz de matar a un hombre que ni siquiera se defiende, Miguel no ha sido nunca violento, ni mucho menos cruel; lo eleva de nuevo y lo saca del agua.

—¡Mátame! —le pide el soldado, que rompe a llorar cuando recupera el aliento— ¡Mátame, por favor, no quiero que esos cabrones me saquen el corazón y me corten la cabeza! Mátame, por piedad, muchacho... mátame tú. No sabes lo que nos harán en esa maldita pirámide...

Miguel guarda silencio. No hay ni un solo español en esa selva que no haya oído hablar de los sacrificios humanos, pero semejante forma de brutalidad resulta muy difícil de aceptar, y quienes no los han presenciado suelen refugiarse en la idea de que se tratan de una leyenda. Lleva al soldado hasta su esquina y le ayuda a mantenerse en equilibrio.

—¿Cómo os llamáis? —pregunta Miguel.

—¿Para qué diantres quieres saberlo? Mira a esos otros, son compañeros nuestros, todos respondían a un nombre, ¿y de qué les ha valido? Ni siquiera tendrán una cruz en su tumba. Ni nadie que les rece.

—Me llamo Miguel, soy artillero.

El soldado mira con detenimiento a Miguel; se fija en sus labios gruesos e inocentes, en la piel sonrosada de sus mejillas, casi lampiña, en sus ojos verdes y acuosos que no conocen todavía el horror, que parecen pendientes de una engañosa esperanza; siente lástima por él, por la brevedad de su juventud, por la amputación de su futuro, por la inminencia de un final tan absurdo.

—Eres muy joven para ser artillero. ¿Tan mal nos va en esta guerra que mandan a niños para disparar los cañones?

—No soy un niño.

A él sí se lo parece, un niño dentro del cuerpo de un hombre. Piensa que Miguel ha desperdiciado su vida, que si está ahora allí con él es porque ha cometido una cadena de errores similar a la suya, que podría estar en cualquier otro lugar descubriendo qué clase de persona es, quién habría querido ser en el futuro o disfrutando de los primeros estremecimientos de la carne con una joven de su edad, está seguro de que nadie va a la guerra por convicción o por curiosidad, que alguien tuvo que influir en su conciencia y le instiló el veneno del oro, el de la lealtad al imperio o el más sutil de la religión; no sabe, no querría saber, que fue él quien se alistó voluntario en la Armada para honrar la dignidad de su casa, que una vez que murió su padre no quiso decepcionar su memoria y deseó convertirse en el hombre íntegro y ejemplar que aquel hidalgo soñaba y que no le dio tiempo a conocer en vida.

—No te ofendas, hijo. No merece la pena. Perdóname. Tanta agua pudre los sesos.

Cerca de ellos, la vida de la ciudadela prosigue: hombres que llevan maderas de uno a otro lado, las ordenan por tamaños y las apilan, grupos de guerreros que vuelven de caza y enseñan ufanos sus presas, artesanos que vacían el interior de unos troncos con una herramienta similar al formón de mediacaña. Miguel cuenta casi doscientas personas.

—¿Qué hacen?

—Canoas. Decenas de ellas. Y remos. Van a marcharse de aquí. Nunca permanecen demasiado tiempo en el mismo sitio. Creo que van a atacar nuestra base de Puerto Caballos. Ojalá pudiéramos encontrar el modo de informarles y evitar que los sorprendan. ¿Ves al de la barba, el más alto?

—Sí —contesta Miguel—, es el que me capturó.

—¿Sabes quién es?

—¿Cómo podría saberlo?

—Es el renegado. ¿No has oído hablar de él?

Al escuchar ese apodo, Miguel aguza la vista para fijarse en ese hombre, todos saben que entre los indios hay un español renegado, un alférez de Castilla que les ha instruido en las artes de la guerra y es el hombre más buscado de la Nueva España.

—Pensaba que había muerto.

—No pueden con él. Ha convertido esta parte del río en un avispero.

—Afirman que llegó antes que Cortés, hace más de veinte años.

—Y así es. Durante algún tiempo fue esclavo del cacique de Chactemal, luego se pasó al enemigo. Aquí todos le obedecen. Es un semidiós para ellos. Y un demonio para nosotros. Le han llenado la cabeza de encantamientos y se conduce como un fanático. Tendrías que escuchar las historias que cuentan de él, dicen que entregó en sacrificio a su primogénita para acabar con una plaga de langostas.

—Eso no puede ser cierto.

—¿Acabas de llegar y ya lo sabes lo que es cierto y lo que no? Los sacerdotes la arrojaron viva al fondo del cenote. Y ese indeseable estaba allí para contemplarlo. ¿Sabes lo que es un cenote? Un puto agujero en la tierra.

—¡Mentís! Nadie en sus cabales permitiría que mataran a su hija. Y menos alguien con una educación cristiana.

—¿Y qué te hace pensar que Gonzalo Guerrero no ha enloquecido? Para este atajo de bárbaros la sangre es más importante que cualquier tesoro, y tanto más si es la de alguien respetado por el pueblo. Es lo único que aplaca la furia de sus dioses. Se agujerean la carne y vierten su propia sangre en la tierra, manchan con sangre de sus víctimas las caras de sus ídolos en el templo y luego se comen sus corazones, viven obsesionados con la sangre. Abre los ojos de una vez, muchacho; si no lo haces hoy, ya nunca lo harás.

Miguel asume que aquel es un lugar de muerte, un rincón sepultado por una vasta extensión de selva fuera del cual nadie comprende esa forma de vivir, ni la utilidad de los sacrificios humanos, ni sus símbolos enigmáticos. No es probable que lo rescaten, el ejército imperial no va a asumir ningún riesgo por un artillero novato. Tal vez el gobernador Alvarado envíe más exploradores, no para buscarlo, sino para recuperar el cañón, pero eso será la semana que viene, o el mes que viene, demasiado tarde en cualquier caso, porque cuando quieran llegar a la ciudadela, los indios se habrán marchado en esas canoas y su cabeza adornará la empalizada.

—Vicente.

—No os entiendo.

—Me llamo Vicente, ballestero de infantería.

Pasa el tiempo en la jaula, pero lo hace despacio, con una lentitud implacable; caen las sombras de la última hora de la tarde, deja de llover, baja el caudal de las aguas y Miguel encuentra una posición junto a una esquina que le permite dormir. Viaja por un momento a un lugar distante, a la granja azucarera de su padre en la ciudad de Santiago de Cuba, donde él mismo nació el año de su fundación, donde pasó su infancia y vio enterrar a su madre unos meses antes de que el gobernador destinara a su padre al fuerte de Veracruz; juega con su perro en el patio de paredes encaladas, sortean naranjos y limoneros, bajo el deslumbrante sol de agosto, ve cómo el animal salta y abre la boca para respirar a bocanadas, pero cuando la trama de sus sueños se vuelve más real, a la vez que siente en su interior la amable tranquilidad de aquellos días, su cabeza se desliza por los troncos humedecidos y cae al agua.

Miguel se incorpora tosiendo y vomita el agua embarrada que le ha entrado a borbotones en el estómago, está asustado por no saber dónde se halla ni qué ha sucedido en ese apartado rincón del mundo durante su sueño. A su alrededor ya es de noche y hay una quietud casi mineral. Abre los ojos, comprende que está solo en la jaula, se gira y ve frente a él, como en un sucio espejo, la cabeza sangrienta de Vicente que lo mira desde la cuarta lanza de la empalizada.

A partir de ese momento es como si hubiera estado siempre solo en la jaula, como si en ningún momento ese hombre abatido se hubiera dirigido a él para transmitirle sus miedos o para pedirle que lo matara, como si su sórdido relato no hubiera llegado a surgir de la garganta rota que ahora tenía casi al alcance de la mano. Siente que un agrio dolor se apodera de él, una desazón tan abrumadora que ni siquiera le permite llorar.

Se abre la portezuela de la jaula. Miguel levanta la vista y ve a Gonzalo Guerrero. Es un hombre muy fuerte, aunque haya superado los cincuenta años, y más alto de lo que imaginaba; lleva un grueso collar de piezas de jade que representan cabezas de animales, han pintado su cuerpo de amarillo y de negro, con el dibujo de la cabeza de un jaguar en el pecho, luce una poblada barba canosa, su ojo derecho es una piedra verde pulida que parece dotada de luz propia y la piel de su cara está quemada por el sol, tiznada por los tatuajes y deformada por las muchas cicatrices: es un rostro amenazador, inescrutable, vacío de fingimientos.

Gonzalo le hace un gesto para que salga y Miguel, casi arrastrándose, abandona la jaula y se pone en pie. Está entumecido, con la piel macerada por la humedad, le duelen todos los músculos, pero no quiere demostrar miedo ni agotamiento. Gonzalo le observa un instante como si reconociera en él algo casi olvidado, una forma de mirar que no es sucia ni malintencionada, que no arrastra la miseria que ha visto en los ojos de otros hombres; apoya el mástil de su lanza en su costado y le obliga a caminar por la calle principal de la ciudadela, hacia la imponente amenaza de la pirámide.

—Sé quién sois —se atreve a decir Miguel tras unos pasos.

Gonzalo no se inmuta.

—Os llamáis Gonzalo Guerrero… Sois castellano.

Hace mucho tiempo que nadie llama así a Gonzalo. Hace mucho tiempo que se ha convertido en un jaguar que habita los huesos de un hombre, en alguien cuya fuerza emana de los dioses y que desdeña su pasado.

—Un hombre bueno me habló de vos… siendo niño.

Gonzalo detiene sus pasos. Ya no acostumbra a hablar, ni busca la aprobación de sus decisiones; pasa los días en silencio, pensando cómo sobrevivir y cómo proteger lo que considera su pueblo y su trozo de tierra, y es así porque no necesita las palabras, su autoridad es tan elevada que le basta con un gesto para que sus guerreros le obedezcan.

—¿Cómo se llama ese hombre?

La voz de Gonzalo resuena áspera, grave, sin matices extranjeros, impropia a los oídos de Miguel de alguien que tiene el aspecto de un salvaje.

—Jerónimo de Aguilar.

El nombre de su amigo rompe el aparente equilibrio de su conciencia, esa nueva pureza animal fraguada a espaldas de los recuerdos. Hace diecisiete años que no sabe de Jerónimo, desde que se despidieron en la bahía de Chactemal, desde que su amigo lo fue a buscar y él se esforzó en demostrarle lo mucho que había cambiado, a pesar de que dentro de él viviera el mismo inconformista que nunca supo cuál era el futuro que deseaba. Aunque hubieran pasado diez vidas y hubieran sido borradas por otros diez ensueños, el nombre de Jerónimo de Aguilar no le resultaría indiferente.

—¿Es tu amigo?

—Amigo de mi padre. Los dos íbamos mucho a su casa de Molango, donde Hernán Cortés lo nombró comendador cuando terminó la guerra con los mexicas. Allí nos contaba historias del naufragio de la Santa Lucía, de los pesares en la barcaza, de vuestra huida a través de la selva y de lo mucho que siempre le ayudasteis. Nos explicó que se rompió una pierna al bajar por un barranco y que vos os lo echasteis al hombro para no abandonarlo a los indios cocomes que os perseguían, que os pidió que lo dejarais allí para que pudierais salvar la vida, pero que no lo hicisteis.

Gonzalo baja el brazo que sostiene la lanza.

—Fueros tiempos muy difíciles, como lo son estos.

—Nos dijo que erais su mejor amigo... igual que un hermano.

—En mi corazón —dice Gonzalo tras un profundo silencio—, durante todos estos años, yo también he sentido a Jerónimo como si fuera mi hermano... Mi único hermano.

Gonzalo se quita el collar de piezas de jade y se lo pone en el cuello a Miguel.

—Dale esto a Jerónimo de mi parte.

Luego señala hacia un punto de la selva.

—Encontrarás tu campamento en esa dirección, a unas diez leguas de aquí. Mantén siempre el río a tu derecha; si lo dejas de oír es que te has alejado demasiado. Vete ya. A los míos no les gustará saber que te he permitido escapar.

Miguel está sorprendido, paralizado por la emoción. Sin saber qué decir da dos pasos atrás, aún con miedo a que ese gigante que responde al nombre de Gonzalo Guerrero cambie de idea; luego mira a su alrededor y se aleja en dirección a la selva. Gonzalo lo contempla impasible, herido todavía por la remembranza. Entonces Miguel se detiene. Duda un instante y vuelve sobre sus pasos. Se quita el collar y se lo ofrece a Gonzalo.

—No podré cumplir vuestro encargo, señor. Jerónimo de Aguilar murió hace ya cinco años. No sabría deciros de qué... creo que fueron unas fiebres. Yo mismo ayudé a mi padre a cavar su tumba y vi cómo le daban sepultura.

La noticia de la muerte de Jerónimo termina de quebrar el debilitado ánimo de Gonzalo. Aquel hombre representaba un ejemplo de dignidad y de nobleza de espíritu, su único vínculo amable con el pasado, la razón por la que nunca terminó de cegar el pozo de la memoria. Ha aprendido a controlar cualquier forma de sufrimiento, a padecer dolor sin que nadie lo perciba, a no exteriorizar sus emociones, a vivir detrás de una máscara que puede dibujar la enigmática crueldad de un espectro, aunque solo tape el rostro de un hombre; por eso se mantiene quieto frente a Miguel, impasible, hermético, como alguien que espera.

—Si queréis —dice Miguel al no recibir ninguna respuesta—, se lo entregaré a su hija, se llama Luisa… tiene once años.

Gonzalo se da la vuelta despacio y empieza a caminar hacia la ciudadela.

—Eso haré —dice Miguel al ver a Gonzalo alejarse—. Se lo daré a Luisa. A ella le gustará tenerlo.

Vuelve a ponerse el collar, da la espalda a la oscura silueta de la pirámide y apresura sus pasos hacia ese lugar indefinido de la selva donde, sin él saberlo, un ejército de los suyos prepara el asalto definitivo a las últimas ciudadelas que se resisten al hundimiento final en su propia melancolía, porque su decadencia se inició muchos años antes de que unos hombres barbados del otro lado del mar naufragaran en sus costas. A partir de mañana, en medio de una indiferencia perezosa, esas mismas calles sucumbirán al empuje tenaz de la naturaleza y cederán los pocos muros de piedra que aún soportan la carga del tiempo; luego se apagarán las voces de los dioses del inframundo y los cráneos de los vivos y de los muertos se desnudarán de su carne, perderán los rasgos que los hacen diferentes y mostrarán sin pudor las sencillas facciones que convierten a una calavera en un triste armazón sin recuerdos.

DOS

Gonzalo mira adelante sin parpadear, bajo la diáfana luz de la luna. Hace tiempo convenció a los suyos de que para vencer a los españoles deberían luchar como ellos: de noche, camuflados, atacándolos por sorpresa. Ante él duerme el puerto español de Caballos; hay un bergantín de bandera castellana fondeado en el río, con las velas plegadas, anclado a cierta distancia de un poblado en el que apenas se distinguen nueve o diez chozas oscuras protegidas por una albarrada, sin ninguna luz que delate a la guardia. Se encuentra al frente de cincuenta canoas con cuatro guerreros mayas en cada una, tal como lo soñó en la selva el día en que mató al jaguar, comanda el batel que avanza delante y que monta el cañón capturado a los españoles. A su lado está Kinich, veterano de docenas de campañas juntos, alguien que asumió hace años su autoridad y su capacidad de mando. Llevan mucho tiempo guerreando contra los españoles, los derrotaron en la batalla de los pantanos, donde lucharon con el barro cubriéndoles por las rodillas, y en las selvas del río Mopán, apenas sin luz y sin aire; siempre han sabido aprovechar las ventajas que les ofrecía el terreno y la experiencia militar de Gonzalo, conocedor de las debilidades de sus antiguos compañeros de armas.

La corriente fluye tranquila mientras a los lados la maleza de las orillas muestra una quietud irreal. Percibe algo mágico en esa noche, una sensación ilusoria que remite a un mundo de ficciones, como si no tuviera delante un pequeño puerto improvisado por una avanzadilla de soldados, sino un monstruo dormido que protege el corazón de un imperio. No siente miedo; hace años que lo terrenal se desdibujó en su cabeza, Gonzalo vive la certidumbre de que es mejor transitar al reino de los muertos detrás de un sueño que pudrirse como un cobarde, mudo y escondido entre las sombras.

Frente a ellos solo hay silencio. Nadie en las chozas ni en el barco parece darse cuenta de que van a sufrir un ataque, que ese renegado perseguido por todos ha decidido arrasar el puesto y hundir el bergantín de Alvarado para que todo el cauce del río Ulúa vuelva a ser territorio del Mayab. No es ingenuo, sabe que los españoles no cejarán, que su victoria será una prolongación de la guerra, pero ese oscuro convencimiento no va a detenerlo, igual que no lo haría el susurro de un necio.

En su avance aprecia los tímidos reflejos de la luna sobre el agua, la grandiosidad de la selva y la prodigiosa calma de sus sombras nocturnas. El bergantín está a tiro del cañón. Ha cargado en él un bolaño y está a punto de prender el fogón. Todo le parece demasiado fácil.

—¡Español! —escucha.

Es una voz fuerte y burlona, una resonancia teatral que no proviene de un lugar concreto.

—¡Sí, tú, español!

Mira a su alrededor, pero no ve a nadie.

—¿Pensabas que nos ibas a engañar otra vez...?

Gonzalo sabe que han caído en una encerrona y hace un gesto circular con los brazos para que viren las canoas.

—¿...miserable renegado?

En medio del desorden de las canoas mayas que viran en redondo y topan unas contra otras se escucha la voz marcial de Pedro de Alvarado que ordena abrir fuego y, como por encantamiento, surgen de todos los rincones del puerto y desde la cubierta del bergantín una miríada de detonaciones de cañones, arcabuces y escopetas que rompen la noche y la salpican de espectros fugaces.

Los mayas, sorprendidos en medio de un caos de fogonazos y zumbidos centelleantes que tiene algo de prodigio, responden al fuego con lanzas y flechas, pero están siendo masacrados. Gonzalo se incorpora para vocear órdenes a los suyos, les manda abandonar las canoas y agruparse en la orilla contraria, mas a su alrededor solo hay muerte y confusión.

Miguel es uno de los soldados que disparan; fue él quien avisó a sus compañeros del ataque inminente de los mayas por el cauce del río. Ahora tiene frente a su cañón la barcaza de Gonzalo Guerrero. Podría dispararle y terminar con esta guerra, pero a pesar de que no ha conseguido borrar la imagen de la cabeza de Vicente en la empalizada, no está dispuesto a matar al hombre que le perdonó la vida. Orienta el tiro hacia su izquierda y hace volar en pedazos otra canoa.

Agotada la primera andanada de fuego, y mientras los hombres recargan sus armas, los ballesteros se incorporan desde la segunda línea y disparan un enjambre de saetas que silban sobre las cabezas de los mayas igual que un nido de serpientes. Gonzalo ve a sus hombres agazapados, heridos, hundiéndose en la negrura de las aguas; presencia la muerte de muchos de los valientes que le han seguido con una confianza ciega a lo largo de dieciséis años y, a pesar del riesgo, no se pone a cubierto, sino que intenta prender la pólvora del oído del cañón para hundir el bergantín y equilibrar la lucha. Es entonces cuando siente la mordedura del fracaso en el abdomen, muy cerca de su ombligo, el dolor le hace perder el equilibrio y cae herido al agua. Kinich se arroja a por él, lo saca a flote y lo empuja hacia la orilla. Gonzalo siente que desfallece, y asido a la flecha de madera ensangrentada que asoma de su vientre, intuye que la herida puede ser definitiva, que tal vez sea esa, después de muchas otras, la que logre acabar con sus esperanzas y sus pesadumbres.

Cuando Kinich arrastra a Gonzalo fuera del agua, un alférez lo reconoce desde la cubierta del bergantín y da la alarma con la voz rota por la excitación:

—¡Ahí está el renegado! ¡En la orilla! ¡Arcabuceros!

Gonzalo ha perdido mucha sangre y no se puede incorporar; Kinich lo arrastra entre los balazos de los arcabuces y consigue internarlo en la selva; pero cuando lo hace, se da cuenta de que su amigo, el extranjero que le salvó la vida y que llegó a ser un torrente de luz para su pueblo, también tiene una herida de bala en el pecho.

—¿Lo has sentido, Kinich?

—¿A qué te refieres?

—¿Has sentido su odio? Su odio contra mí. Cuando el odio empieza es muy difícil detenerlo.

—Descansa, no hables.

—Llévate a los nuestros lejos de aquí, ponlos a salvo en el interior, y no dejes que ese odio alcance a mi mujer y a mis hijos... No permitas que les hagan pagar a ellos por mis faltas.

—Los protegerás tú mismo, te vas a recuperar, no gastes tus fuerzas.

—No, mi querido amigo... Los dos sabemos que no volveré a verlos... Tendrás que hacerlo tú.

Kinich toma la mano de Gonzalo y se la lleva a su pecho; mientras, la cabeza de su amigo se inclina levemente hacia atrás y le parece intuir en su rostro una expresión de alivio. Kinich no puede saberlo, pero Gonzalo ya ha descendido al cenote, está en el vientre de la gran madre tierra, en el lugar de los que se desvanecen; todo es igual a como se lo había descrito el viejo Zinac: el río que se adentra en la tierra y los jícaros espinosos, el cruce de caminos y la vereda negra; está en un proceso de purificación y transita por la novena capa del inframundo de la mano de su hija Yxmo, que le mira a los ojos sin rencor.

—Ven a descansar conmigo, padre —le parece oír de sus labios—, tu lucha ha terminado.

Al amanecer, en la orilla del río Ulúa, muy cerca de su desembocadura en el mar, Kinich y otros tres guerreros mayas depositan el cadáver de Gonzalo en una canoa, lo visten con una capa azul turquesa, el color que eleva y protege el alma, lo cubren de flores y le cruzan las manos sobre el pecho.

—Vosotros —dice Kinich—, los del mal, los de la guerra, los de la tristeza, los de la miseria; llorad, porque nunca tendréis a todos los hombres. Sois envidiosos y opresores. Perderéis la grandeza y veréis el ocaso de vuestro dominio.

Con un gesto de respeto que es también un acto de devoción, Kinich y los guerreros empujan la canoa hacia el centro del río y permiten que la corriente la lleve hacia los destellos rojos y amarillos de la alborada que se reflejan sobre la superficie del agua.

—Que los dioses acompañen siempre a este hombre justo, y que el río lo lleve en paz al gran mar del cual provino.

La canoa avanza por el centro del río envuelta en el fragor de la selva, igual que lo haría un ciego, acunada por su engañosa monotonía, seducida por el eco de su alboroto funesto, mientras deja atrás las sombras de las pirámides, el territorio del jaguar y las huellas de los hombres de barro y de los hombres de madera, la herencia maldita de aquellos vagabundos que fueron expulsados de su tierra por el pecado imperdonable de no saber adorar a sus dioses, que abandonaron el callado misterio de sus abismos y sus playas para que el Cavador de Rostros no les arrancara los ojos, el Brujo Pavo no se comiera su carne y el Murciélago de la Muerte no les cortara la cabeza.

RECONOCIMIENTOS Y FUENTES DOCUMENTALES

Esta novela —me sucede por segunda vez tras *El fotógrafo de cadáveres*— surge de una conversación entre dos amigos. En este caso mi interlocutor fue el mexicano Gerardo *Bola* Juárez, abogado y antropólogo; él me relató, con la necesaria intensidad para que la historia me atrapara, la aventura de los náufragos del Yucatán en el siglo XVI cuando yo andaba en la algo menos arriesgada aventura de llevar al cine mi novela *El jugador de ajedrez*. Gerardo y su amigo, el prestigioso director de fotografía Antonio Riestra, también mexicano, hicieron interesantes sugerencias al primer borrador del manuscrito que desde aquí reconozco y agradezco.

La revisión de los aspectos científicos del texto fue llevada a cabo por el doctor en Antropología Pedro Tomé Martín, miembro del CSIC, director de la revista de Antropología *Disparidades* y experto en las culturas mesoamericanas.

Tuvieron la amabilidad de leer el manuscrito, señalar sus defectos y sugerir algunas mejoras Gonzalo Ugidos, Marisol Castedo y Alfredo García.

María y nuestra hija Eva, como siempre, permitieron y comprendieron mis enclaustramientos.

Los textos que han constituido el cuerpo principal de la documentación han sido:

- *Historia verdadera de la conquista de la Nueva España*, de Bernal Díaz del Castillo (terminada en 1568 y publicada en Madrid en 1632).
- *Relación de las cosas del Yucatán*, de Diego de Landa (sobre 1566).
- *Historia de la conquista del Mayab (1511-1697)*, inicialmente atribuido al fraile franciscano Joseph de San Buenaventura en el siglo XVIII, publicada por la Universidad de Yucatán y posteriormente demostrado apócrifo (véase a este respecto la Tesis Doctoral de María del Mar Gámiz Vidiella, de la Universidad Nacional Autónoma de México).
- *Reescritura del episodio de los españoles que naufragaron en Yucatán en 1512*, Tesis Doctoral de Iván Vallado Fajardo, del Instituto Nacional de Antropología e Historia de México (INAH)
- Artículos y entrevistas a Luis Barjau, director de estudios históricos del INAH.

Entre los textos de origen indígena es obligado destacar dos:

- *Popol Vuh*, o libro sagrado de los mayas, una recopilación de narraciones míticas y legendarias del pueblo k'iche' redactado entre 1701-1703 por fray Francisco Ximénez a partir de un texto indígena escrito alrededor de 1550 y que recogía la tradición oral de su pueblo.
- *El ritual de los bacabes*, manuscrito de origen maya descubierto en 1914-1915 que describe encantamientos chamánicos.

JULIO CASTEDO
El Escorial, Madrid
Mayo de 2021